食べて、ふかして、飲みほして

味わいぶかき映画たち

Favorite Items and Movies

野村 正昭
絵・宮崎祐治

まえがき

魅惑の嗜好品たちと映画の世界

2020年の初めに、旧知の編集者・佐藤真さんから連絡があり、「TASC MONTHLY」という、たばこ総合研究センターから発行されている会員向け小冊子に「〝映画と嗜好品〟というテーマで毎月連載してみませんか?」というお話があった。

「嗜好品というと?」

「たとえば、たばこやお酒、コーヒーといったもので……」ということだった。

映画はともかく、コーヒーはよく飲む程度で、体質的なこともあり、たばこやお酒には縁がない。大丈夫かなあと恐る恐る始めたが、たばこ、お酒、コーヒー以外の嗜好品も含め、毎回その起源なども調べていくうちに、どんどんのめりこみ、面白くなった。嗜好品と呼ばれるものに、自分がいかに無知だったか、よく分かったし、映画についても改めて見直すと、異なる角度から、その映画の新たな魅力を発見することができて、勉強になった。

約4年間の連載が続いて、いったん幕を下ろそうという、まさにそのタイミングで、これを一冊の本にしましょうという有り難い申し出があり、驚きつつ、その言葉に甘えることにした。単行本化にあたって、「ブレードランナー」、「ダーティハリー」、「007／ロシアより愛をこめて」、「遠雷」、「快盗ルビィ」、「新幹線大爆破」、「ドランクモンキー・酔拳」の7本をボーナストラックとして新たに加えた。

イラストレーターの宮崎祐治さんには、「デビュー作の風景」に続いて、毎回の連載に素敵なイラストを添えていただいたが、単行本化では新たにカバーイラストを描き下ろしてもらった。巻末に登場してもらった俳優の柄本明さんには、お忙しい中、映画談義につきあっていただき、本当に嬉しかった。

何よりも4年間、毎月ご苦労をかけた佐藤さん、宮崎さんに感謝の言葉を捧げたい。たばこ総合研究センターのみなさんをはじめ、多くの方々のお世話になって、この本が出来上がり、厚く御礼を申し上げたい。

個々の文章については、異論反論あるかもしれませんが、気軽に読んで楽しんでいただければ有り難いです。ひとりでも多くの読者に届くことを願いつつ――またね。

令和6年3月吉日

目次

初出
「TASC MONTHLY」２０２０年４月号～２０２４年３月号の掲載分に加筆訂正、新たに書き下ろし原稿を加えました。

1

銀幕に煙を燻らせて

たばこ編

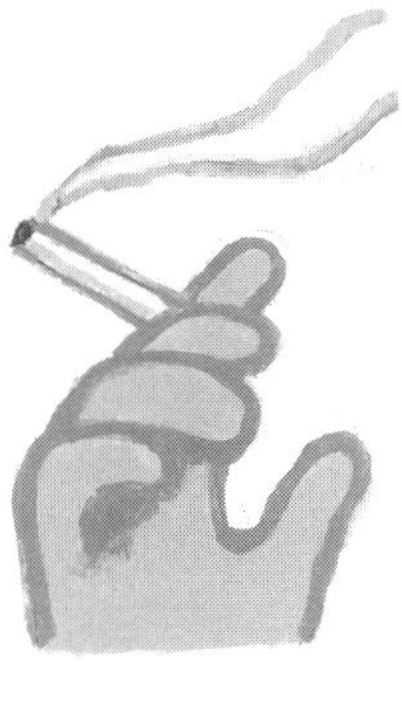

さらば友よ

作品データ

「さらば友よ」(1968 フランス) 監督・脚本/ジャン・エルマン 脚本/セバスチアン・ジャプリゾ 音楽/フランソワ・ド・ルーベ 主演/アラン・ドロン、チャールズ・ブロンソン、オルガ・ジョルジュ=ピコ、ブリジット・フォッセー (115分)

「映画の中でたばこが登場するシーンが規制されている」という趣旨で原稿を書いてくれないかという依頼が相次いだことがあった。そうした結論ありきで書いてほしいという要望だったので、該当しそうな映画を見てみると、銀幕の中では盛大に喫煙シーンが登場していたので、あっけにとられたのを覚えている。どうやら依頼主の思い込みで、「映画の中では喫煙シーンが規制されている」という既成事実を作りたかったらしく、その場は曖昧に原稿を書いておいたが、気になって調べてみると――。

2016年に、WHO（世界保健機関）が突然、「映画が若者の喫煙傾向を助長している」と勧告し、それを受けて、海外なのか、国内なのかは分からないが、ある映画が「R指定」になったのが、ことの発端らしい。「R指定」になったのは、喫煙シーンが原因ではなく、他の要因が大きかったらしいのだが、マスコミは、その犯人をたばこにしたかったという真相が徐々に分かってきた。WHOの言い分では「2014年にハリウッドで製作された映画の44％に喫煙シーンが登場している」ということらしいが、この44％も一体どうやってカウントしたのだろうか。担当者にはご苦労様としか言いようがないが、それに対して、全英映像等級審査機構は「喫煙する場面を含むからといって成人指定にする必要はない」との見解を示し、反論している。そうした議論の渦中だから、こういう原稿の発注があったんだなあと納得したが、世間の動きとは無関係に、それ以前も、それ以後も、映画の中では登場人物たちが遠慮なくたばこを手にしているし、今や、現実の世界以上に銀幕では喫煙の場が広がっている。

大体、シャーロック・ホームズも鬼平犯科帳も、ルパン三世も、たばこなしでは、キャラクターが成立しないんじゃないだろうか。「往年の名作にはたばこが表現の幅を広げる重要な小道具として使われたケースが多い」と、別の場所でコメントしたのは何を隠そう筆者ですが、筆者自身はたばこを一切嗜まず、しかし、映画にとってたばこは重要な小道具だという思いは今も変わらず。

かつて、あるスター俳優さんに取材した時に、たばこの話題になり、「芝居の間を持たせるには、たばこが一番使いやすいんだよね」と聞いたことがあるが、彼はVシネマのヒットシリーズの中でさまざまにたばこを使い分け、芝居のアクセントにしていた。既に亡くなられてしまったが、その方は松方弘樹さんです。

筆者が映画の中で最初にたばこを意識したのは、アラン・ドロン&チャールズ・ブロンソン主演のフィルム・ノワール「さらば友よ」(68)だった。アルジェリア戦争から帰還した元軍医のドロンが、クリスマス・イヴに2億フランが納入されるという大企業の金庫破りを企てる。彼は金庫室に忍び込むが、アルジェリアで同じ部隊にいた傭兵のブロンソンと出くわし、反発しながらも、金庫の鍵に挑む。ところが、ふたりは金庫室に閉じ込められてしまい、なぜか死体まで出てきて——と、今、見直しても極上のサスペンスだが、ラストで警察に連行されるブロンソンがくわえたたばこに他人のふりをしながら無言で火を貸すドロンの姿は、中学生だった筆者の血を騒がせ、何よりも、このシーンはたばこなくしては生まれなかった。ブロンソンのたばこに火をつけるドロンのショットは、映画のポスターにも使用されていたが、再見すると、映画の中にこの構図のショットは存在せず、おそらくスチール用にだけ撮影されたのだろう。半世紀以上、映画の中で目撃したと記憶していたが、そうした幸せな誤解を植え付けてしまうほど、強烈な印象だったのだ。

「さらば友よ」の監督はジャン・エルマン。この作品と、やはりドロン主演の「ジェフ」（69）、それに「太陽の200万ドル」（71）の3本だけで監督業を引退し、脚本家として活躍しつつ、ジャン・ヴォートラン名義で作家に転身し、89年にはゴンクール賞を受賞して大成功した。「さらば友よ」1本だけでも映画史に名を残し、そのラストシーンは今も語り継がれ、監督としては本望だったろう。

シャーロック・ホームズ

作品データ

「シャーロック・ホームズ」（2009　アメリカ）監督／ガイ・リッチー、脚本／アンソニー・ペッカム　主演／ロバート・ダウニー・Jr、ジュード・ロウ、レイチェル・マクアダムス、マーク・ストロング（128分）

梅田晴夫氏の監修による「パイプ」（78／立風書房刊）は、図版の豊富さといい、植草甚一《じんいち》氏や澁《しぶ》澤龍彦《さわたつひこ》氏の貴重なエッセイといい、パイプに纏わるさまざまな角度からの秀れた考察といい、その世界の奥深さに圧倒される名著だが、パイプと映画との関わりといえば、その本にも登場する稀代の名探偵シャーロック・ホームズを抜きにしては語れないだろう。アーサー・コナン・ドイルの生み出したイギリスの名探偵ホームズは、ロンドンのベイカー街221Bに住み、ワトソン博士を相棒にして、数々の難事件を解決したヒーローだ。

シャーロック・ホームズを主人公にした映画は、40年代に十数本つくられたベイジル・ラズボーン主演のシリーズをはじめ、ビリー・ワイルダー監督「シャーロック・ホームズの冒険」（70）や、ニコール・ウィリアムソン主演「シャーロック・ホームズの素敵な挑戦」（76）、TVシリーズでも、ベネディクト・カンバーバッチ主演「SHERLOCK／シャーロック」（10～17）など、枚挙にいとまがないが、どの作品でも、ホームズとパイプはセットとして描かれている。劇場用映画の近作では、「アイアンマン」（08）でブレイクしたロバート・ダウニー・Jrが、ホームズに扮した「シャーロック・ホームズ」（09）が印象深い。ただ、この作品でホームズがパイプを手にしている場面は意外に少なく、3カ所しかないが、敵に追いつめられたホームズが、テムズ河に飛び込み、水面からパイプを突き出して浮かびあがってくるなど、効果的な使われ方をしている。

「（パイプは）ホームズのイメージの重要な特徴となっている。現在では広く『探偵』を意味するアイコンの象徴にすらなった。ホームズはクレイや桜材やプライヤーのパイプを愛用していたが、瞑想用にはクレイのパイプ、議論をしたい時には桜のパイプというように使い分けていた。これらはいずれも柄が真っ直ぐなものである。だがホームズに扮する役者が舞台で演技しやすいように柄の曲がったキャラバッシュのパイプを使ったことから、ホームズのパイプのイメージも曲がったものに変わってきた。しかし正確にはキャラバッシュのパイプは、ホームズが主に活躍した時代には一般的ではなかったのである。ピーターソン社からはホームズの名を冠したパイプ及びパイプたばこが発売されている」。なるほど。以上、北原尚彦氏の『シャーロック・ホームズ語辞典』（19／誠文堂新光社刊）からの引用だが、ダウニー・Jr版でも、キャラバッシュのパイプが使われている。

ダウニー・Jr版で特筆されるのは、産業革命時代のロンドンの情景が、ＣＧを駆使して徹底的に再現されていることと、従来の映画では、ワトソンは、ホームズの引き立て役として、どちらかといえば、太っちょで少しヌケた存在として描かれていたが、ジュード・ロウ演じるワトソンは、精悍かつホームズと互角に渡りあえる知性の持ち主になっている。ガイ・リッチー監督は、「ふたりの間柄は『明日に向って撃て！』（69）のブッチ・キャシディとサンダンス・キッドのようなイメージで描いた」と語っている。黒魔術を操るブラックウッド卿との戦いは、映画独自のオリジナル・ストーリーだが、原作のエッセンスを損なうことなく、新たなホームズ像を創出するのに成功している。

ロバート・ダウニー・Jrは、公開前はミスキャストではないかと言われたが、蓋を開けてみれば、アクション場面も見事にこなし、ホームズ像に新たな魅力を付け加え、それでいて正典へのリスペクトも怠らず、幅広い観客層から絶賛された。続編「シャドウ・ゲーム」（11）も好評だった。ダウニー・Jrは、「チャーリー」（92）で、チャップリン役を演じて、アカデミー主演男優賞を受賞したが、その後しばらくは人気が低迷した。その原因は薬物中毒になり、コカイン不法所持で逮捕されたこともあったそうだが、そのあたりもコカインの常習癖があったホームズのキャラクターと共通していて、まさにハマリ役だったといえる。当たり役「アイアンマン」から、〝アベンジャーズ〟の主要メンバーに加わり、マネーメイキング・スターに返り咲いたんだから、大したものです。そして、ついに「オッペンハイマー」（23）ではアカデミー助演男優賞を受賞！　おめでとうございます。

ちなみに、ホームズが、いかに世界的な人気を誇っているかは、79年から83年にかけて、旧ソビエト連邦で、13年に、ロシアでＴＶシリーズ化されていることからでもわかり、どちらも筆者は未見だが、北の国のホームズもパイプを愛用しているかどうか、機会があれば確かめてみたい。

ウィンストン・チャーチル／ヒトラーから世界を救った男

作品データ

「ウィンストン・チャーチル／ヒトラーから世界を救った男」（2017 イギリス） 監督／ジョー・ライト　製作・脚本／アンソニー・マクカーテン 主演／ゲイリー・オールドマン、クリスティン・スコット・トーマス、リリー・ジェームズ（125分）

葉巻と政治家といえば、海外ではイギリスのウィンストン・チャーチル、日本では吉田茂が有名だが、今回は無類の葉巻好きであるチャーチルの映画について書かせてもらいます。何しろ、日本たばこ編『たばこ百話』（85／東洋経済新報社刊）によれば、「あるカメラマンが、チャーチル卿のたばこを吸っていない姿を写真にしたいと、シャッターチャンスをねらっていたが、ついにそのチャンスがつかめなかったといわれるほど、いわゆるチェーン・スモーカーであった」ようで、嗜好品というよりも、チャーチルにとっては、もはや肉体の一部と化していたのかもしれない。

近年、評判になったのは、ジョー・ライト監督「ウィンストン・チャーチル／ヒトラーから世界を救った男」（17）で、ここでもポスターを含めたヴィジュアルでは、ほとんどすべてといっていいほど、葉巻をくわえたチャーチルの姿が使われていた。チャーチルを演じたのは、ゲイリー・オールドマン。デビュー当時は、「シド・アンド・ナンシー」（86）のシド・ヴィシャス役に代表されるように、アウトローのイメージが強く、一時はSFやアクション映画などで敵役ばかり演じていたが、満を持してチャーチル役に挑み、何と、2018年度のアカデミー主演男優賞を受賞してしまったのだから、長年の映画ファンにとって感慨無量というか。

だが、チャーチルとゲイリー・オールドマンの外見は、およそ似ても似つかない。太って丸顔のチャーチルと、どちらかといえば細面で精悍な顔つきのゲイリーの顔は、真逆といってもいいほどだ。

ここで登場するのが、特殊メイクアップアーティストとして数々のハリウッド映画制作に携わった日本人・辻一弘氏だ。その著書『顔に魅せられた人生　特殊メイクから現代アートへ』（18／宝島社刊）によれば、ゲイリーは「カズが受けてくれなければ、私はこの役を降りるつもりだ」とまで言ったという。悩み抜いた末に、辻氏は「この仕事を請けることを決断した（略）、一番大きな問題は、チャーチルは目と目の距離が離れていて、ゲイリーは近いことだ。ゲイリーの目の位置を変えることはできない。何とか視覚的な効果を使って、目が離れているように見せることはできないかと考えた。そのために注目したのは、毛の生え際だ。チャーチルはゲイリーより丸い顔で、横幅が広かった。そのため、頬やこめかみ部分で肉付きを足して丸い顔にするのだが、そうすると余計に目が顔の真ん中に寄った印象を与える。そのため、あまり顔の側面に肉をつけるのを控え、髪型や、生え際の形で、頭の丸さを表現する工夫をした」とか。顔をキャンバスに見立てているのが、面白い。

設計には半年かけ、主に頬から下と鼻の部分に特殊メイクが施された。毎朝、撮影前に4時間かけてメイクを施し、1時間かけて、それを落としたという。ジョー・ライト監督は「（撮影中から）3カ月間、ゲイリーの素顔を見なかった」という。撮影に入る時にはすでにメイクされ、終了時には、彼がまたメイク室に籠《こも》るからだ。葉巻は実際に、チャーチルが愛用したキューバ産のロメオ・イ・フリエタ。撮影のために、ゲイリーは一日12本近く吸っていたというから大変だ。その甲斐あって、主演男優賞を受賞できたが、辻氏も日本人として初めて、アカデミー賞メイクアップ&ヘアスタイリング賞を受賞するという快挙を成し遂げた。ゲイリー・オールドマンの個性を生かしつつ、見事にチャーチルに変身させたのだから、当然といえば当然の評価だろう。

映画は、1940年、第二次世界大戦初期、度重なる失策から〝世界一の嫌われ者〟だったチャーチルが首相に就任し、政敵に追いつめられながら、ヒトラーに屈するのか、それとも闘うのかの選択を迫られた彼の苦悩を描いているが、後半、葉巻とマッチをきっかけに、地下鉄の車内で、ロンドンの庶民たちと交流する件は、ホロリと泣かせます。政治家のみならず、53年度ノーベル文学賞を受賞した文筆家としても有名な彼が、演説の草稿を練り上げる描写も感動的。

この年は、なぜかチャーチルを主人公にした劇映画が、もう1本製作された。ジョナサン・テプリツキー監督「チャーチル ノルマンディーの決断」（17）で、チャーチル役は「トロイ」（04）「ゾディアック」（07）の名優ブライアン・コックス。ノルマンディー上陸前夜のチャーチルの苦悩を描いた佳作で、ゲイリー版から続けて見ると、とても歴史の勉強になります。もちろん、ここでもチャーチルは葉巻を愛用していました。

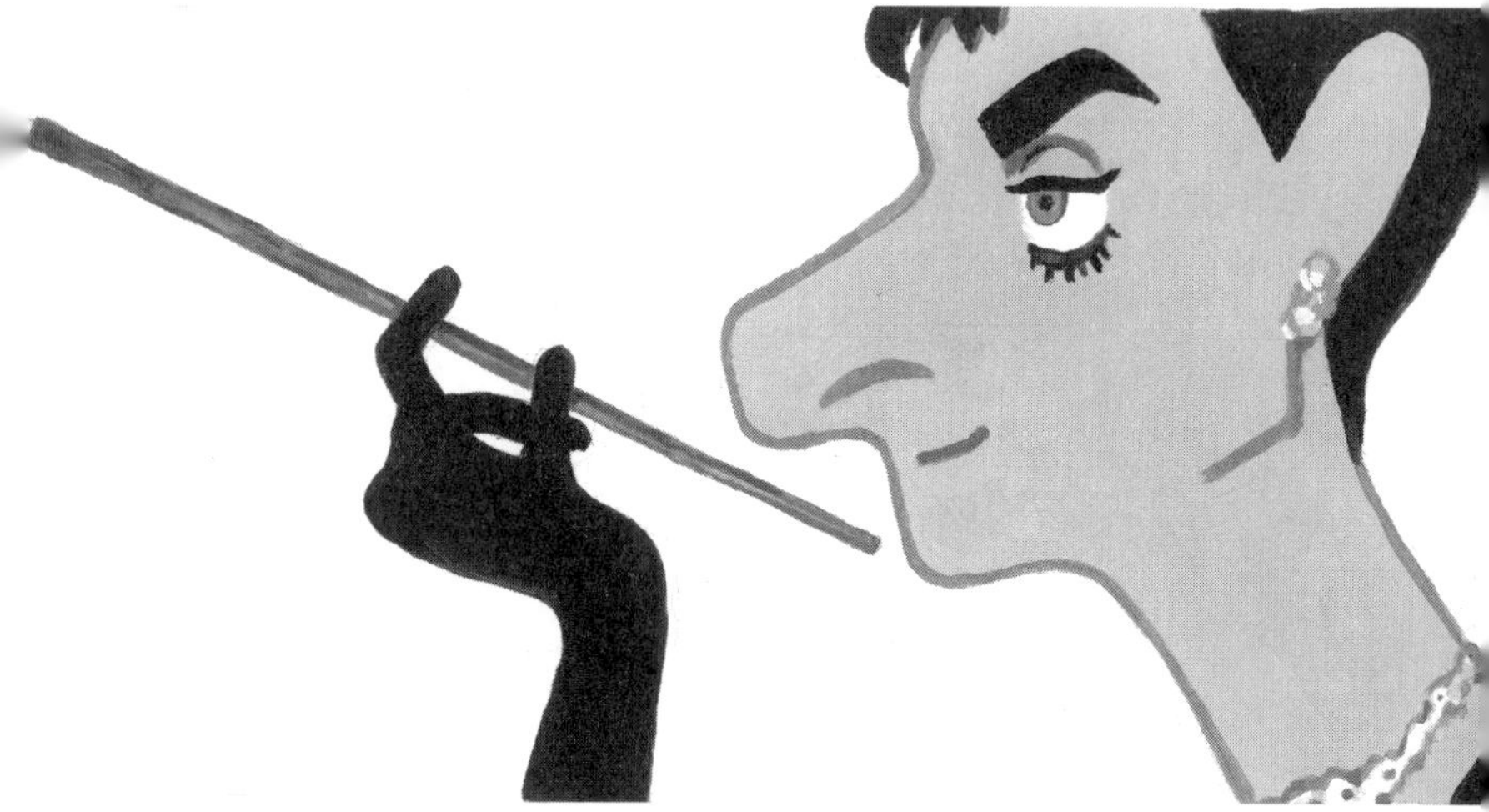

ティファニーで朝食を

作品データ

「ティファニーで朝食を」（1961 アメリカ）監督／ブレイク・エドワーズ　原作／トルーマン・カポーティ　脚本／ジョージ・アクセルロッド　主演／オードリー・ヘップバーン、ジョージ・ペパード（115 分）

「ティファニーで朝食を」（61）は、「ローマの休日」（53）や「昼下りの情事」（57）と並ぶ女優オードリー・ヘップバーンの代表作であり、主題歌「ムーン・リバー」の世界的ヒットもあって、現在でも語り継がれている。オードリーが手にしている煙管《きせる》は、意外なことに映画のなかでは、それほど頻繁に登場しない。映画の冒頭、ニューヨークの五番街の朝、タクシーが走ってきて、高級店ティファニーの前で停まる場面でも、オードリーが手にしているのは、パンとコーヒーだけ。長い間、彼女は煙管を持っているとばかり思い込んでいたのだが、オードリー演じるホリー・ゴライトリーは、パーティの場面でだけ、ほんの申し訳程度に煙管を手にしている。これはポスターやDVDなどのジャケット写真を含めたヴィジュアル全般で、オードリーが煙管を持っていたから、そうしたイメージがこちらに刷り込まれたのだろうが、それにしても、ジバンシィの衣装を華麗に着こなし、煙管を持って、こちらを見つめている彼女は、60年後の現在でも、古びていないどころか、スマートで洒落ている。

原作は、トルーマン・カポーティが、1958年に発表した同名小説だが、カポーティは、ホリー役にマリリン・モンローを熱望していた。モンロー自身も、ホリー役を演じたがっていたが、プロデューサーのリチャード・シェファードは、モンローに、この役は合わないと考えた。当時、リチャードは、モンローのマネージャーでもあったが、彼はオードリーを第一候補に推してオファーした。製作会社のパラマウントは、高級娼婦のホリー役をオードリーは断るだろうと思ったが、意外にも彼女は快諾した。ただし、オードリーは出演の条件として自分が演じる役が娼婦だという事実をやわらげるように脚本の変更を求めた。脚本のジョージ・アクセルロッドは、その要求を呑み、よりマイルドな脚本に書き換えた。結果として、映画はカポーティの原作とは大きく異なり、自由を求め、夢見る女性のラブストーリーになった。当初「終身犯」(62)や「大列車作戦」(64)のジョン・フランケンハイマー監督が演出するはずだったが、作品のカラーに合わず、準備段階で降板し、「ピンクパンサー」シリーズなど、都会派のコメディを得意とするブレイク・エドワーズ監督に交代し、この起用は大成功する。カポーティは、映画のラストに激怒し、「小説と映画では、ヒロインがまるで別人」と声明を出したが、これも宣伝効果につながった。

日本でも、オードリーの人気は高まり、シックな装いで、煙管を持った女性が、パーティなどに急増し、ファッション・アイテムになったが、この煙管の語源には諸説あり、カンボジアで管を意味する「クセル」がなまったとか、ポルトガル語のSorver、もしくはスペイン語のSorberが挙げられているが、いずれも「吸う」という意味とか。日本で喫煙といえば、刻んだ葉たばこを煙管につめて吸う形態を指していたようで、19世紀後半欧米で本格的につくられるようになった紙巻きたばこ(シガレット)が登場するまで、煙管は喫煙具として広く普及し、愛用されてきた。ちなみに、ホリーが吸っていた煙管は、先端にシガレットを差し込むもので、日本で普及していたものとはタイプが異なる。

江戸時代に煙管は、嗜好品として庶民の間にも流行し、「心中天網島《しんじゅうてんのあみじま》」（69）や「写楽」（95）「さくらん」（06）などの時代劇映画にも、効果的な小道具として登場する。ことに当時の遊郭の遊女たちにとっては、朱塗りの花魁煙管は、自分たちの存在を誇示する重要なものであり、客にとって、その煙管は郭に数回通い、馴染みになって初めて、客が吸わせてもらえるものだったとか。「ティファニーで朝食を」のホリーは、原作では娼婦だが、映画では前述のような事情で、職業としては曖昧にぼかした存在になっている。定職に就かず、パーティやデートで、男性から小遣いを受け取ったり、シンシン刑務所に収監されているマフィアのボスと週一回面会し、彼を励ますことで彼の弁護士から多額の報酬を得ているという説明があるにはあるが、そのあたりの曖昧さも、カポーティを怒らせた一因かもしれない。アメリカをはじめとする洋画では、パイプほど煙管は登場せず、あえてオードリーに煙管を持たせることで、彼女のキャラクターを示唆する意味合いもあったかもしれない。

いずれにしても、「ティファニーで朝食を」のオードリーや「心中天網島」の岩下志麻、「さくらん」の土屋アンナらと通底するイメージで煙管が浮かびあがってくるが、そういえばＴＶ「鬼平犯科帳」の歴代、鬼平も煙管を愛用していましたね。

グラン・トリノ

作品データ

「グラン・トリノ」（2008 アメリカ）監督・製作・主演／クリント・イーストウッド　脚本／ニック・シェンク　主演／ビー・ヴァン、アーニー・ハー、クリストファー・カーレイ（117 分）

今や映画界を代表する存在となったクリント・イーストウッドだが、スターへの道のりは決して平坦なものではなかった。若き日、ガソリンスタンドでアルバイトしていたところを、スカウトされて役者になったものの、オーディションでは軒並み落とされ、映画ではエキストラ同然の扱い。TVドラマシリーズ「ローハイド」（59〜65）の準主役に抜擢され、ようやく人気は出たものの、玄人筋からは演技を酷評されて、鳴かず飛ばずの日々を送っていた。

そんな時に、セルジオ・レオーネ監督が「荒野の用心棒」（64）の主役をオファーしてきたが、アメリカではイタリア製西部劇は二流だという理由で、一度は断っている。レオーネは、ヘンリー・フォンダや、チャールズ・ブロンソンにオファーしたが、ギャラが安いと断られ、再度イーストウッドに懇願する。シナリオを読んで、これが黒澤明監督「用心棒」（61）の翻案だと気づき、ちょうど「ローハイド」の撮影に嫌気がさしていた頃でもあり、何よりギャラを当て込んで高級車ベンツを買うためにオファーを引き受けた。

「荒野の用心棒」といえば、イーストウッドの葉巻をくわえた姿が印象的だが、じつは彼は大のたばこ嫌い。レオーネのたっての要求で、しぶしぶ葉巻をくわえることにした。以後、彼の出演作では「荒野のストレンジャー」（73）や「センチメンタル・アドベンチャー」（82）「ハートブレイク・リッジ／勝利の戦場」（86）「トゥルー・クライム」（99）などで喫煙シーンを見せてはいるが、吸うというよりも、指に挟んで煙をたゆらせているか、ふかしているカットが多い。だが、アカデミー作品賞受賞作「ミリオンダラー・ベイビー」(04)以来4年ぶりの監督・主演作「グラン・トリノ」(08)の喫煙シーンは、従来の場面とは、いささか趣が異なっている。

それは、イーストウッド演じる元自動車工ウォルト・コワルスキーのキャラクターと密接に結びついている。彼は、朝鮮戦争の従軍経験を持ち、定年でフォードの工場を辞め、妻にも先立たれ、愛車グラン・トリノや愛犬と孤独に暮らしている。周囲との協調性は皆無で、自身の家がある住宅街に外国人が次第に増えていることを快く思っていない。そんなある日、隣家にモン族の少年タオの一家が引っ越してくる。不良グループからタオを助けたことから交流が始まり、偏屈だったウォルトは徐々に心を開いていく。タオを仲間に引き入れようとする不良グループとの確執が激しくなり、ウォルトは死を覚悟して、ひとりで戦いに臨もうとするが、その前夜、洋服店で、スーツを新調し、泡風呂に入ってたばこを一服する。亡妻との約束で、屋内では禁煙していたはずの彼の姿は、切なくも感動的だ。

「グラン・トリノ」では、ジッポのライターによる着火シーンが目立つ。ラストへの伏線となる米軍「第一騎兵師団」のシンボルマーク入りジッポの存在をひき立たせる意味でも、この映画の中の喫煙シーンは重要な演出だったに違いない。たとえば、ヒット作「ダーティハリー」シリーズ(71~88)や、近作「運び屋」(18)では、たばこをくわえながら演技をしても、おかしくないところを、イーストウッドは代用品で済ませている。大体は、ガムやビールで代用しているが、「ダーティハリー」

では、ホットドックを食べながら銀行強盗犯を追いつめていた。いかにたばこが嫌いであっても、映画に必要ならば積極的に取り入れるところに、監督としての器の大きさが見える。ちなみに「グラン・トリノ」のエンド・クレジットには「たばこ製品の描写に関しては、本作と関係がある個人もしくは団体が対価か何かを受け取っていたり、何らかの協定を結んでいるということはありません」という字幕が出てくるが、こうした表記自体が、イーストウッド作品には珍しく、彼がいかにたばこに対してナーバスになっているかも推測できる。

監督作品40本目になる「クライ・マッチョ」(21)でイーストウッドが扮するのは、落ちぶれた元カウボーイ。別れた妻に引き取られている十代の息子をメキシコから連れ戻してくれと依頼され、彼と共に旅をすることになる。少年との心の交流という意味では「グラン・トリノ」に共通する設定だが、1930年生まれのイーストウッドは撮影時は91歳！　90歳を超えて精力的に映画を撮り続けた監督といえば、日本の新藤兼人やポルトガルのマノエル・デ・オリヴェイラが思い浮かぶが、主演も兼ねてという点では、世界的にも唯一のケースだろう。その記録が今後も更新されることを望みつつ、彼の雄姿を堪能したい。

ナバロンの要塞

作品データ

「ナバロンの要塞」（1961　アメリカ）　監督／J・リー・トンプソン　原作／アリステア・マクリーン　主演／グレゴリー・ペック、デヴィッド・ニーブン、アンソニー・クイン（158分）

50年代から60年代にかけて、アリステア・マクリーンは冒険小説の代名詞だった。海洋冒険小説の金字塔といわれる「女王陛下のユリシーズ号」(55)がベストセラーになって以来、彼の作品は「サタンバグ」(64)、「荒鷲の要塞」(68)、「八点鐘が鳴るとき」(71)、「黄金のランデブー」(78)などが次から次へと映画化されたが、その中でも最大のヒット作となったのが「ナバロンの要塞」(61)だ。

第二次世界大戦を背景に、ドイツ軍が占領するナバロン島の大砲を破壊するために、極秘の潜入任務を与えられた6人の精鋭チームが結成される。イギリスの駆逐艦がナバロン島沖を通過するまでに大砲を破壊しなければならないタイムリミット・サスペンスでもあり、6人はケロス島を経由して、嵐の中、ナバロン島に上陸し、400フィート(約122メートル)もの絶壁を昇ることになる。なお、実録戦争秘話の体裁をとっているが、ナバロン島もケロス島も架空の島で、実際のロケーション部分はギリシャのキプロス島で、室内のシーンは、ロンドンのパインウッド撮影所で撮影された。

6人のメンバーは、マロリー大尉(グレゴリー・ペック)をリーダーに、ミラー伍長(デヴィッド・ニーブン)、スタブロス大佐(アンソニー・クイン)、フランクリン少佐(アンソニー・クエイル)、ブラウン一等兵(スタンリー・ベイカー)、スピロ一等兵(ジェームズ・ダーレン)という構成。最初のうちこそ反目しあっているが、目的に向かって困難を乗り越え、しだいに一致団結するようになる過程が見事で、目が離せない。

DVDに収録されているメイキングでは、当初は「マダムと泥棒」(55)や「成功の甘き香り」

（57）で知られるアレクサンダー・マッケンドリック監督が撮るはずだったが、撮影直前に、彼が病気で倒れたので、代打にJ・リー・トンプソン監督が起用されたと解説されている。ところが同じDVDに収録されているアンソニー・クインはインタビューで「名前は出せないが、ある有名監督が撮影方法をめぐって、プロデューサーと対立し降板した」と話しているのが面白い。さて誰を起用するか、関係者は若手監督の作品をしらみ潰しに見て、結局、「追いつめられて…」や「北西戦線」（共に59）で小品ながらシャープな切れ味を見せていたトンプソン監督を初の大作映画に抜擢した。彼はクランクイン前に、俳優を集めて、全シーンを徹底的にリハーサルし、スタッフやキャストの信頼を得て、撮影期間はオーバーしたものの、迫力満点の映像を撮ることができた。

ところが、クライマックスの要塞爆破シーンで、要塞内のタンクの汚れた水に、ニーブンが長時間漬かり、ウィルスに感染して、病に倒れ、一時は危篤状態に陥る。医師からは彼は再起不能、撮影に戻ることはできないだろうとまで宣告される。撮影は9割方終了し、ニーブンの出演場面は多かった。既に撮ったフィルムを廃棄し、別の俳優を立てて撮り直すという選択肢もあり、関係者は苦渋の決断を迫られる。巨額の製作費が投入されていたものの、保険がかけてあり、その場合でも補償は受けられたが、トンプソン監督はニーブンの演技が気に入っていて、「（撮影の）前半部分は快調そのものだっただけに、ニーブン抜きでクライマックスの撮影を進めていた時は気が重く、やりきれない気持ちでいっぱいだった」と告白している。だが、その時点での要塞の美術の建て込みに予想以上に時間がかかり、その間にニーブンは奇跡的に回復。現場に復帰して、無事に撮影を終えることができた。劇中の爆破シーンのサスペンス以上に、舞台裏では、もうひとつのサスペンスが進行していたのだ。

そして、この映画ではドラマのポイントごとにたばこが効果的に使われている。どんな時でも余裕綽綽《しゃくしゃく》でパイプをくゆらせているアンソニー・クインはかっこいいし、やむなく戦線から離脱せざるをえなくなるアンソニー・クエイルに、別れのたばこをくわえさせる場面も印象的だ。ラストシーンで、ベックとニーブンが、同じたばこを吸う場面では、舞台裏を知ると、映画のミッション以上に、「お疲れ様」という表情が読み取れて、こちらも感慨無量にならざるをえない。

トンプソン監督を支えて、撮影現場を仕切った若きチーフ助監督がいた。彼の名前は、ピーター・イエーツ。のちに監督として一本立ちし、スティーヴ・マックィーン主演「ブリット」（68）「ジョンとメリー」（69）、「ドレッサー」（83）など数々の名作を手がけるが、この時の経験が生かされたのかも。

なお、再びマロニーやミラーが活躍する続編「ナバロンの嵐」（78）も製作され、若き日のハリソン・フォードも出演した。

舞踏会の手帖

作品データ

「舞踏会の手帖」(1937　フランス)　監督・脚本／ジュリアン・デュヴィヴィエ　主演／マリー・ベル、フランソワーズ・ロゼー、アリ・ボール、ルイ・ジューヴェ、フェルナンデル(114分／DVD完全版は130分)

一本のたばこは、映画全体を締め括り、同時に象徴していると、まざまざと思い知らせてくれたのが、この「舞踏会の手帖」(37) だ。監督は、ジュリアン・デュヴィヴィエ。

30年代から40年代にかけて、日本ではフランス映画が洋画の主流として人気が高く、多くの映画人たちに影響を与えた。戦前から戦後にかけて活躍された映画評論家の故・清水晶氏は「映画芸術を語ることは、フランス映画を語ることである。フランス映画を語ることは、4大巨匠を語ることである」とさえ公言されていた。4大巨匠とは、ルネ・クレール、ジャック・フェデー、ジャン・ルノワール、そして、ジュリアン・デュヴィヴィエだ。

「舞踏会の手帖」は、「望郷」(36) と並ぶデュヴィヴィエの代表作であり、当時のフランスの名優が総出演し、38年度のキネマ旬報ベストテンでも第一位を獲得した。

ヒロイン、クリスティーヌ (マリー・ベル) は資産家の夫に先立たれ、20年前に16歳で初めて舞踏会に出た時の手帖をもとに、彼女に愛をささやいたパートナーたちを訪ねて回る。失われた青春への懐旧の情に駆られた彼女が、最初に訪れたのは、クリスティーヌの婚約を知ってピストル自殺を遂げた男の母親 (フランソワーズ・ロゼー)。ショックのあまり狂った母親は、息子が今も生きていると信じ、室内も生前のままに整え優雅に暮らしていた。

次に訪ねたのは、元弁護士だが、やくざな稼業に身を落とし、クリスティーヌの前で警官に連行されるピエール (ルイ・ジューヴェ)。そして、ピアニストから世を捨てて神父となったアラン (アリ・

ボール）と続き、舞台はアルプスに移り、詩人志望だったエリック（ピエール・リシャール＝ウィルム）は、山のガイドをしていた。政治家を志したフランソワ（レーミュ）は、俗物と化して、女中との再婚に大忙し。病を得た堕胎医のティエリ（ピエール・ブランシャール）は、情婦を殺してしまう。理髪師ファビアン（フェルナンデル）は、相も変わらぬ幼稚なカード手品を婦人客相手に繰り返し、クリスティーヌを幻滅させる。多彩な人生模様が、それぞれ上質の短編小説のように描かれるが、住所不明で、彼女が最も心ひかれた美青年ジェラール（ロベール・リナン）の最後のエピソードは後述しよう。

日本では「商船テナシチー」（34）や「望郷」もキネマ旬報ベストワンを受賞し、「白き処女地」（34）や「地の果てを行く」「我等の仲間」（共に36）「旅路の果て」（39）なども高く評価されたデュヴィヴィエだが、意外にも本国フランスでは評価が低く、映画史家のジョルジュ・サドゥールは「東洋の一小国で過大な評価を受けた」とまで書いているほどだ。そのせいか、本国では生前に研究書は一冊もなく（21世紀になってから、エリック・ボンヌフィユとイヴ・デスリシャールによる二冊の本が世に出た）、日本では戦前から現在まで僅かに、小林隆之、山本眞吾著「映画監督ジュリアン・デュヴィヴィエ」（10／国書刊行会）が出版されたのみ。

海外と日本での、この温度差は何だろうか。私がデュヴィヴィエの映画を集中的に見たのは20代半ば、70年代の京橋フィルムセンター（現・国立映画アーカイブ）のフランス映画特集だが、当時はまだ「映画史上の名作を見るのだ」という雰囲気が場内にも濃厚に漂っていた。歳月を経て、それが徐々に薄れてきたのは、文芸映画の形式の中でペシミズムが時流にそぐわなくなったのだろうか。本国では、彼の良くも悪くも職人性が軽く見られたのかもしれない。

「舞踏会の手帖」は、日本では38年6月に、帝国劇場で公開され大ヒットしたが、この時の上映時間は114分。のちにTVで放映された時は数分長く、初公開時には少なくともふたつのエピソードがカットされたらしい。上映回数を一回でも増やそうと2時間弱に縮めたのだろうが、97分、109分版の存在も確認されており、エピソードで区切られたオムニバス形式の作品だっただけに、様々なバージョンが作られ、日本ではDVD発売時にようやく130分のオリジナル版を見ることができるようになった。

映画に戻ろう。最後に訪れたジェラールは、すでに亡く、その息子ジャック（ロベール・リナン二役）の姿だけが、あった。クリスティーヌは、盛装したジャックを舞踏会に誘うがその時彼女は「初めての舞踏会は緊張するけれど、初めて吸うたばこ程度のものよ」と微笑みながら励ます。ふたりが連れ立って部屋から出て行くと、残された灰皿から、たばこの紫煙が立ちのぼり、そこにFINの文字。何とも洒落たラストカットで、この場面はまるでたばこが主役のように見える。

カサブランカ

作品データ

「カサブランカ」（1942　アメリカ）　監督／マイケル・カーティス　脚本／ハワード・コッチ、ジュリアス＆フィリップ・エプスタイン　主演／ハンフリー・ボガート、イングリッド・バーグマン、ポール・ヘンリード、クロード・レインズ、ピーター・ローレ（120分）

「君の瞳に乾杯」をはじめ、数々の名セリフや名場面で知られる「カサブランカ」(42)はハリウッドを代表する名作として、今も多くの映画ファンに愛されているが、その製作の舞台裏は、想像を絶する過酷なものだった。戦火が近づく1940年のフランス領モロッコのカサブランカを舞台に、ナチスに追われるレジスタンスの闘士ラズロは、ナイトクラブを経営するリックの店に現われるが、ラズロの妻イルザは、かつてパリでリックと愛しあった女性だった、という当時量産されていた典型的なメロドラマだった。

もともとは、マレイ・バーネットとジョアン・アリスンの戯曲「誰もがリックの店にやってくる」を原案に製作されたが、驚くべきことに、クランクインの段階で脚本は完成しておらず、書きあげられたシーンを片っ端から撮影するという方法が採用された。イルザ役のイングリッド・バーグマンは、のちに「カサブランカ」がアカデミー作品賞を受賞したと聞いて、「あらすじを書いたメモだけで撮影された作品が受賞するなんて……」と絶句し、「大体、私がリックとラズロのふたりの男性との恋愛関係で揺れるという設定自体が問題で、脚本のエプスタイン兄弟に〝どちらの男性と結ばれるんですか〟と訊ねると〝それがまだ分からないので、2通り撮影します〟と言われたのよ」と答えたほどだった。クランクインから2週間後に、脚本の約4分の1ほどがようやく出来上がり、最終的には撮影終了後の編集段階で関係者が辻褄を合わせたのだ。

主演のリック役のボガートも、「このシーンは、どういう感情を込めたらいいんだ?」と監督に訊ねても、「とりあえず右から左に歩け」と指示され、結果的に、その不機嫌な表情が映画にはプラスに作用した。そもそも芸術家タイプにひかれるバーグマンと、徹底した職人監督であるカーティスとは、最初から反りが合わず、撮影中はほとんど会話もしていなかったと言う証言さえある。

企画当初は、ロナルド・レーガン（リック）、アン・シェリダン（イルザ）、デニス・モーガン（ラズロ）というキャスティングで発表されたが、レーガンが出征することになり、それまでは「化石の森」（36）や「デッドエンド」（37）の個性的な敵役で知られていたボガートが主役に抜擢され、この作品でスタートして不動の地位を確立した。しかし、ボガートほどたばこの似合うスターはいないと、「カサブランカ」を見て、つくづく納得させられる。何しろ登場するシーンから、映画史に残るラストシーンまで、重要な場面ではほとんどたばこを手にしている。ＤＶＤのオーディオ・コメンタリーで、映画批評家ロジェー・エバートは「昔の映画ではたばこが大活躍した。アップの時に俳優を自然に動かすための小道具として有効だし、観客の視線を集め、登場人物の気持ちを表現できる」と語っている。

第二次世界大戦中の42年に製作されたが、いかに当時のスタジオ・システムで作られていたとはいえ、製作費は厳しい状態に追い込まれていた。現地のロケなど出来るはずもなく、全てがハリウッドのスタジオで撮影され、オープンセットは他作品の使い回しだった。有名なラストの空港のシーンでは、飛行機が張りぼての小さな模造品しか用意できず、飛行機を大きく見せるために、低身長症の人に警備員の服を着せて、その周囲を動き回らせた。それでも無理があると悩んだ製作陣は苦肉の策として、スモークを炊き、立ちこめる霧でカバーしたが、これも結果としてプラスに作用し、名場面として後世に語り継がれることになった。「これが俺たちの新しい友情の始まりだな」という名セリフも、撮影時には収録されず、編集段階で何かもうひとつ足りないと感じたプロデューサーが、アフレコで付け足した。リックとルノー署長（クロード・レインズ）が立ち去る場面では、ふたりとも後ろ姿で、画面に口を合わせる必要がなかったからだ。

合成場面を含めて、映画全体を安っぽく見せないために、プロデューサーは、各シーンを出来るだけ詰めるように指示し、それが「簡潔かつ、早いテンポで映画全体に緊張感をもたらしている」と絶賛された。この時に編集を担当し、第2班監督も兼任していたのが、若き日のドン・シーゲル。のちに「ダーティハリー」(71) などを監督して映画ファンに愛される存在になった。

「カサブランカ」は第16回アカデミー賞で、作品賞、監督賞、脚本賞を受賞し、プロデュースしたハル・B・ウィリスも、アーヴィング・タルバーグ賞を受賞、世界中でヒットした。日本でも、後年

「カサブランカ」の設定を、そのまま借用した石原裕次郎、浅丘ルリ子主演「夜霧よ今夜も有難う」

（67) が作られた。裕次郎作品では、フランス映画「望郷」(37) の設定を、そのまま借りた「赤い波止場」(58) も快作だったが、この作品も良い出来だった。ちなみに裕次郎もたばこの似合うスターだったのは言うまでもない。

勝手にしやがれ

作品データ

「勝手にしやがれ」（1960　フランス）　監督・脚本・台詞／ジャン＝リュック・ゴダール　原案／フランソワ・トリュフォー　監修／クロード・シャブロル　主演／ジャン＝ポール・ベルモンド、ジーン・セバーグ、ダニエル・ブーランジェ（90 分）

　ゴダールの映画を初めて見たのは、高校生の頃、都内の名画座で「気狂いピエロ」（65）だった記憶がある。それまでに見ていた映画とは決定的に違う、まさに異次元からの衝撃で「映画で、こんなに自由なことをしてもいいのか」と、叫び声を上げたくなるような至福の高揚感に包まれた。今でも「気狂いピエロ」は僕のベストとも言うべき一本だ。

　それからは、ゴダールの映画を夢中になって追いかけた。「女は女である」（61）も「女と男のいる舗道」（62）も「軽蔑」（63）も「アルファヴィル」（65）も「男性・女性」（68）も、製作時から時間を経て公開された「小さな兵隊」（60）も「カラビニエ」（63）も「はなればなれに」（64）も面白かった。

「勝手にしやがれ」（60）も、そうしたゴダールへの熱狂の季節の最中に見た。主人公ミシェル（ジャン＝ポール・ベルモンド）は盗難車で、マルセイユからパリに向かう途中、交通違反をして咎められ、警官を射殺してしまう。パリの街頭で「ニューヨーク・ヘラルド・トリビューン」の売り子をしているアメリカ娘パトリシア（ジーン・セバーグ）に再会し、金を調達して、ふたりでイタリアへ逃亡しようとするが……という物語以上に、僕を興奮させたのは、既成の映画文法や撮影技術を無視した大胆な作り方だった。具体的には、手持ちカメラによる、あえて不安定な映像や、アクションつなぎの原則を無視した編集は、それまでの映画史を一変させた。ヌーヴェル・ヴァーグ（新しい波）の台頭を決定的にした記念碑というべき傑作になったのだ。

作家パルヴュレスコ役として「勝手にしやがれ」に出演した「いぬ」（63）や「影の軍隊」（69）で知られるジャン＝ピエール・メルヴィル監督は「すばらしいのは、あのデタラメなカットつなぎだ。自然なアクションつなぎを無視した、脈絡のないカットの見事な不連続のリズムだ」と、本作を絶賛した。

改めて見直すと、この映画のベルモンドは、冒頭、街角に佇んでいるカットから、車を運転する時も、ベッドの上でも、エレベーターの中でも、死の瞬間の直前まで、のべつまくなしたばこをくわえている。ゴダール自身も、残っている写真でも常にたばこをくわえているから、ベルモンドは当時のゴダールの自画像、あるいは分身として見ていいのかもしれない。

そもそも、この映画は、ピエール・シェンデルフェール監督「氷島の漁夫」（59）が不入りで、プロデューサーのジョルジュ・ド・ボールガールが、60万フランの負債を抱え、無一文になったことから始まる。当時、20世紀フォックスのパリの宣伝部で働いていたゴダールが、ボールガールに、4つの映画の企画を持ち込み、その中にトリュフォーがタブロイド誌の記事を基にした4ページのシノプシスがあった。ヌーヴェル・ヴァーグの作品を探し求めていたボールガールは、「大人は判ってくれない」（59）でカンヌ国際映画祭の監督賞を受賞したトリュフォーの原案を条件に、そして、ベルリン国際映画祭で「いとこ同志」（59）で金熊賞を受賞したクロード・シャブロルを監修に迎えることで、ゴダールに長篇デビュー作を撮らせることにした。トリュフォーも、シャブロルも、ゴダールにとって、映画誌「カイエ・デュ・シネマ」の盟友だった。ふたりのネームバリューのおかげで、ボールガールは51万ドルの製作費を調達し、59年8月17日から9月19日にかけて、パリとマルセイユ近郊で撮影することができた。

当時、新外映に勤務していた秦早穂子（現・映画評論家）は、パリ近郊のジョアンヴィルにある撮影所の作業室で、20分ほどのラッシュフィルムを見て、買い付けを決めた。原題を意味する「息せき切って」の日本題名を「勝手にしやがれ」と命名したのは、秦氏だ。

60年3月16日、パリで公開され、18歳未満入場禁止だったが、最初の週に5万531人を動員し、7週間ロードショーの総入場者数は、25万9046人と大ヒットした。日本では本国の公開から僅か10日後の3月26日に封切され、これも大ヒット。ベルリン国際映画祭では銀熊賞（監督賞）をジャン・ヴィゴ賞長編部門、フランス映画批評家協会賞も受賞し、ゴダールの名声は世界に轟く。

68年の5月革命以後、ゴダールは通常の製作システムと訣別し、さらに過激に映画の解体を実践し、その成果は筆者の理解を遥かに越えてしまったが、それでも「パッション」（82）や「ゴダールの映画史」（88〜98）、「イメージの本」（18）は刺激的だった。

2022年9月13日、スイス、ロールで自殺幇助を選ぶ。享年91歳。60年以上の歳月を経て、既にベルモンドもセバーグも、この世を去り、「勝手にしやがれ」に関わった人々は冥界へ旅立った。映画史のひとつの終わりと言ってもいい。

新幹線大爆破

作品データ

「新幹線大爆破」（1975 日本） 監督・脚本／佐藤純彌　原案／加藤阿礼　脚本／小野竜之助　撮影／飯村雅彦　音楽／青山八郎　主演／高倉健、千葉真一、山本圭、織田あきら、竜雷太、宇都宮雅代、志村喬、渡辺文雄、鈴木瑞穂、丹波哲郎、宇津井健（152 分）

公開後、半世紀を経ても、和製パニック映画の金字塔「新幹線大爆破」（75）の魅力はいささかも色褪せていない。何より、ひかり109号に爆弾を仕掛け、その爆弾が時速80メートルになった時、自動的にスイッチが入り、それ以上のスピードで走っていれば爆発しないが、再び80メートルに減速すると爆発するというメインアイデアの秀逸さは、後年のアメリカ映画「スピード」（94）のモチーフになったと噂されるほどだ。

そして、沖田（高倉健）率いる犯人グループと、犯人とひかり109号の双方に対峙する国鉄（現JR）の総合指令室の倉持（宇津井健）、捜査する警察陣、危機に晒されるひかり号の乗員、乗客たちと、4つの状況が同時進行するスリルとサスペンスが、最後まで飽きさせない。

実は、この映画の佐藤純彌《じゅんや》監督には、結果として長い歳月がかかったが、「映画監督 佐藤純彌 映画《シネマ》よ憤怒の河を渉れ」（18／DU BOOKS刊）というインタビュー本で、お世話になったこともあり、その中でも「新幹線大爆破」の件《くだり》に関しては、相当盛り上がった記憶がある。もともとは、坂上順プロデューサーが、アメリカのTVムービー「夜空の大空港」（66）をヒントに企画したものだという。「夜空の大空港」は、離陸した旅客機が高度3千メートル以下になると爆発する爆弾を仕掛けられるというストーリーだった。

だが、国鉄では題名を聞いただけで、一切の協力を拒否。「新幹線捜査官」というタイトルに変更してくれという要請もあったが、これは東映サイドが拒否した。幸い、佐藤監督は、その数年前に新幹線のPR映画を依頼されて撮ったことがあり、その時の経験が脚本作りに大いに役立った。しかし、国鉄の協力を当てにせず、自力で作ろうと踏み切ってから公開までの期間は、あまりにも短く、撮影の最後の1週間は2班体制でほとんど徹夜状態。完成したのは封切2日前だった。

当然、本物の新幹線の中では撮影できず、実際に新幹線の椅子を作っている会社に素材を発注し、車両2両分の内部は、東映東京撮影所のセットふたつをぶち抜いて実物大で作られ、駅のホームでの撮影は全て実際の駅での盗み撮り、ゲリラ撮影だった。新幹線の走行場面などは、300メートルほどのレールを敷いたミニチュア・セットを使い、列車同士がすれ違うカットでは、最新鋭のシュノーケルカメラを駆使し、大きな話題となった。

主人公・沖田役は最初、菅原文太が予定されていたが断られ、たまたまシナリオを読んだ高倉健が自ら「この映画の主役は新幹線だが、面白いからやってみたい」と名乗り出てくれた。また古賀役も当初は原田芳雄にオファーしたが断られ、山本圭が演じたが、この起用は大成功だったと、監督からもお聞きした。

劇中では、たばこは重要な役目を担っている。何しろ、冒頭から、古賀がたばこを吸う大写しのカット。夜の北海道、夕張駅の線路に、そのたばこを捨てるが、その銀紙の指紋が、かつて古賀が学生運動をしていた時に逮捕された調書の指紋と一致して、身元が割れてしまうのだ。夕張発の貨物列車に、爆破計画が嘘ではないという証拠に爆弾を仕掛け、それを爆発させるが、その報告を受けた沖田も、古賀との思いを共有するかのように、たばこを吸うのだ。

印象的なのは、その後も、しばしば沖田はたばこを手にするのだが、考えるのに夢中になるあまり、指に挟んだまま吸うのを忘れたたばこの灰が長くなっているカットだ。樋口真嗣《しんじ》監督「日本沈没」(06)にも同じようなカットがあり、DVDのオーディオ・コメンタリーで、どうやって灰の長さを撮るのかという問いに対して「予め《あらかじ》、たばこに爪楊枝を刺しておけば撮れるんですよ」と、スタッフが答えていて、成程なあと感心したのを思い出した。「新幹線大爆破」でも、そうして撮影したのかどうかは分からないが、生前の佐藤監督に訊ねておけば良かった。

その年のキネマ旬報ベスト第7位、同誌の読者のベストテンではベストワンになったが、公開に際しては興行的には不発。前述したように、封切寸前に完成し、宣伝が行き届かなかったりとか、1本立て興行に不安を持った興行部が、当時人気のアイドル・ずうとるびの短編ドキュメントを併映し、2本立てにしたが、その組み合わせが噛み合わず、仇《あだ》になったのかもしれない。

ところが、沖田たち犯人グループのエピソードを潔くカットした100分の再編集版が、76年6月30日にフランスで公開され大ヒット。翌年12月には、そのフランス語版が日本でも凱旋興行として公開され、115分の英語版も作られた。今や「新幹線大爆破」は名画座などで上映されると満席状態になるという。こうして語り継がれ、映画を彩った何本かのたばこも半世紀を越えて報われたことだろう。

2

香りに酔いしれる

コーヒー・お茶編

コーヒー&シガレッツ

作品データ

「コーヒー&シガレッツ」(2003　アメリカ)　監督・脚本・編集／ジム・ジャームッシュ　主演／ロベルト・ベニーニ、スティーヴン・ライト、イギー・ポップ、トム・ウェイツ、スティーヴ・ブシェミ、アルフレッド・モリーナ、ビル・マーレイ(97分)

「ストレンジャー・ザン・パラダイス」（84）や「ミステリー・トレイン」（89）などで知られるジム・ジャームッシュ監督の「デッド・ドント・ダイ」（19）は、新型コロナウィルスの影響で公開が延期され、一部劇場のみで先行上映された。早めに試写で見ておいて良かった。「デッドマン」（95）でウェスタン、「ゴースト・ドッグ」（99）でアクション、「オンリー・ラヴァーズ・レフト・アライブ」（13）でヴァンパイヤ映画など、ジャンル映画に果敢に挑んできた彼が、今回手がけたのは、なんとゾンビ映画。まさか、わが日本の「カメラを止めるな！」（17）のメガヒットに刺激されたわけでもあるまいが、これがいかにもジャームッシュ作品らしい、とぼけた味わいに満ちている。

のどかな風景が、どこまでも広がるアメリカの田舎町センターヴィルを舞台に、突然ゾンビが大量発生してしまうのだが、面白いのは、生前ゾンビたちが人間だった頃にこだわりを持っていた行動を繰り返すことで、〝スマホ・ゾンビ〟に〝ギター・ゾンビ〟〝サッカー・ゾンビ〟〝Ｗ・ｉＦ・ｉゾンビ〟〝ファッション・ゾンビ〟などが次々に登場する。ジャームッシュ監督曰く「今日人々の振る舞いというものが、よりゾンビ化しているという印象があるからだ。みんなが自分のことしか考えられなくなっている。そういう生き方が結果的に世界を破滅に追いやっているのに、多くの人々が無関心だ。僕らの周りにはそんなゾンビ人間が増えている。スマホ中毒やコンピューター中毒と同様に」だからだそうだ。

そして、映画の冒頭で最初に登場するのが〝コーヒー・ゾンビ〟。そう来たか。ジャームッシュ監督は、かつて「コーヒー&シガレッツ」（03）という映画を撮ったことがある。これは86年から03年にかけて断続的に撮った短編を纏めたもので、共通した舞台設定と状況下の11本のエピソードによる長編作品だ。基本的にカフェでコーヒーを囲むふたりの人物の会話だけで構成されている。やや引いた位置からのショットと、登場するふたりを収めたショット、ひとりずつを収めたショット、コーヒーの並ぶテーブルを真上から捉えた俯瞰ショットという、ほぼ4種類の組み合わせだけで撮られている。ビル・マーレイやロベルト・ベニーニらが出演しているが、個々のエピソードは、出演者の組み合わせを前提に当て書きで書かれた脚本を基にしている。準備期間も短く、ジャームッシュ自身、気楽な姿勢で撮影に臨んだこともあって、現場ではアドリブも採用されたようだ。

著者が最も面白く見たのは、トム・ウェイツとイギー・ポップがお互いの腹を探り合う「サムウェア・イン・カリフォルニア」で気まずいいずれ違いの会話が、いつしかジャームッシュ特有の、何ともいえない稀有な空間に辿り着いてしまう。アルフレッド・モリーナとスティーヴ・クーガンが、英国的な意地のはりあいで応酬するエピソードや、ケイト・ブランシェットが、上品なセレブの女性とどうしようもないアバズレ女を一人二役で演じ分けるエピソードなども忘れ難い。

モノクロ画面で、淡々と描かれるエピソードの数々は、どれも興味深く、一気に見てもいいが、気が向いた時に一本ずつ見ても十分楽しめる仕掛けになっている。ケイト・ブランシェットのエピソードのみ二日間で、その他のエピソードは、いずれも一日で撮影されたというが、そのフットワークの軽さが、映画全体に大きく作用しているのだろう。

ジャームッシュ監督は、DVDの特典映像インタビューでも「気楽に作った。出演してほしい人に依頼して、承諾してもらい、自由に撮ったんだ。面白そうな人のイメージに合わせて、台本を書き、彼らに演じてもらっただけだ。役者の組み合わせを考えるのは楽しかったよ」と話し、撮り方にしても、前述のように「シンプルな撮り方を心がけた。まず、カメラを引いてショットを撮り、登場人物のふたりを撮ったり、ひとりだけ撮ったりする。真上からのショットは、チェック柄のテーブルを取るためだ。上から撮ると、まるでチェッカー盤みたいだろう。撮り方をシンプルにすると編集が楽になる。気に入った映像が撮れたし、編集もやりやすかった」と発言している。

後年の「リミッツ・オブ・コントロール」(09)でも、ワンカップで2杯分ではなく、別々のカップでエスプレッソを2杯を飲むことに執拗にこだわる主人公を描き、ジャームッシュのコーヒーへの拘りが並々ならぬことが、よく分かる。それが何を意味するのかは、よく分からない。ただ、好きなだけなのだろうか。

ところで、「デッド・ドント・ダイ」で、〝コーヒー・ゾンビ〟を演じるのは、イギー・ポップとジャームッシュのパートナー、サラ・ドライバー。このキャスティングは、妙に納得できます。成程なあ。

日日是好日

作品データ

「日日是好日」(2018　日本)　監督・脚本／大森立嗣　原作／森下典子　撮影／槇憲治　美術／原田満生、堀明元紀　主演／多部未華子、樹木希林、黒木華、原田麻由、郡山冬果、岡本智礼、荒巻全紀、山下美月、鶴田真由、川村紗也、鶴見辰吾、滝沢恵 (100 分)

煎茶に抹茶、玄米茶、番茶、ほうじ茶、緑茶など、今やコンビニに行けば、気軽に日本茶のペットボトルを手に入れることができるが（ちなみに私は、ほうじ茶が好みです）、日本茶を描いた映画となると、そう多くはありません。安土桃山時代に茶道を追求した千利休を描いた「利休」や「千利休・本覺坊遺文《ほんかくぼういぶん》」（共に89）や、江戸初期の大名茶人、小堀遠州のドキュメンタリー「空中茶室を夢みた男」（19）などがありますが、このあたりは、また別の機会に書かせていただくとして、もう少し、気軽に、お茶について描いた映画はないかなあと探してみたら、うってつけの映画がありました。

人気エッセイスト森下典子が、20年にわたって通い続けた茶道教室での日々を綴ったロングセラーを原作にした、大森立嗣《たつし》監督「日日是好日《にちにちこれこうじつ》」（18）。ヒロインの典子（黒木華）が、周囲から薦められて、いとこの美智子（多部未華子）と共に、茶道の武田先生（樹木希林）の許《もと》に通いはじめたのが、93年。彼女が20歳の大学生の時から。この映画のどこがユニークかといえば、ふたりがお茶に関して全くの初心者で、一から教えられていく過程が丁寧に描かれているので、こちらも基本の動作から細かいディテールまで一緒に習っているような気持ちになることですね。

例えば、茶の湯を立てるのに、必要な袱紗《ふくさ》について。袱紗とは「風呂敷より小さい、表裏二枚合わせの四角い絹布」ですが、その畳み方（これが簡単そうで意外と難しい）を含めて、捌《さば》き方までとか。そして、棗《なつめ》。形が果実に似ているということで名付けられた茶入れの拭き方とか。次に茶を立てる時に、かき回して、泡立たせる、ささら（茶せん）の使い方など。茶碗ひとつにしても運ぶ時は「重たいものは軽々と、軽いものは重々しく」運ぶべしと、茶道の流儀の奥深さを、あくまで具体的に分かりやすく、時にユーモラスに教えてくれて、見れば見るほどためになる。

茶室に入る時だって「まず左足から入り、敷居と畳の縁は絶対に踏まないようにして、畳一畳分を約6歩で歩くこと」と大変だ。武田先生曰く「お茶は、まず『形』から。先に『形』を作っておいて、あとから『心』が入るもの」だそうですが、演じる樹木希林の存在感もあって、説得力があること、この上なし。「茶道は頭で考えちゃダメ。習うより馴れろ。稽古は回数なの。そのうち手が勝手に動きます」と言われ、懸命に稽古を重ねた典子が無意識にストンと会得する瞬間は、なかなか感動的だが、これは「燃えよドラゴン」(73)でブルース・リーが説く「考えるな、感じろ」と同じなんでしょうね。何というか、お茶を体に馴染ませることの快感が、見ているだけでジワーと伝わってきそう。茶碗ひとつの見立てにしても「重さ、肌ざわり、手に添う感じを味わう。本物をたくさん見て、目を養うのよ」と、審美眼の心構えまで伝授してくれる。

武田先生の居室にある「日日是好日」の書にしても、典子や美智子は最初、何て書いてあるのか、どんな意味なのか、チンプンカンプンだが、通ううちに、ある瞬間、掛軸を眺めていて、あっと分かる。「そうか。文字を頭で読まずに、絵のように眺めればいいんだ」と。掛軸と滝の情景が交互に描かれる件《くだり》、やや説明的ですが、ある意味、とても親切で、茶道の本質に、こちらも徐々に近づいていているという充足感がある。

最初は、それほど茶道に興味がなかった典子が通ううちに、「あなた、お茶が好きなんでしょ」と言われて、のめりこむようになるのも面白い。歳月を重ねて、学生から社会人へ、時間経過を巧みに省略しているのも上手い。教室に後輩が増え、美智子も結婚して二児の母になり、教室から去っていく。典子自身も結婚を決意するが、挙式2カ月前に破局し、傷心の日々……そうした出来事の中で、お茶を通じて四季の移り変わりを繊細に感じる術を身につけ、その意味も分かってくるようになる。

理解ある父（鶴見辰吾）の死を経て、お茶を始めて、いつの間にか20年余の典子の呟きが感慨深い。「世の中には、すぐ分かるものと分からないものの二種類がある。すぐ分かるものは一度通り過ぎれば、それでいい。けれど、すぐ分からないものは長い時間をかけて少しずつ分かってくる」。茶道以外にも、この言葉は、どんな世界にも、あてはまる普遍的な意味を持っているのではないだろうか。

晩年の樹木希林は、「あん」（15）「万引き家族」「モリのいる場所」（共に18）「エリカ38」「命みじかし、恋せよ乙女」（共に19）などたくさんの映画に出演して、独特の存在感を示したが、個人的には、この「日日是好日」の武田先生役が最も忘れ難い。決して押し付けがましくなく、それでいて滋味溢れる、けだし名演といえるのではないだろうか。

ムッソリーニとお茶を

作品データ

映画「ムッソリーニとお茶を」（1999　アメリカ）
監督・脚本／フランコ・ゼフィレッリ　主演／マギー・スミス、シェール、ジュディ・デンチ、リリー・トムリン、ジョーン・プローライト（116 分）

紅茶といえば、英国人の専売特許というイメージあるけれど、思いつくだけでも、名高い映画――例えば、「マイ・フェア・レディ」(64)や「眺めのいい部屋」(86)「ゴスフォード・パーク」(01)の中にも印象的に登場している。

稲田信一氏の『紅茶入門』(16／日本食糧新聞社刊)によれば、「16世紀にインド洋航路が発見され」「世界各地から、砂糖、コーヒー、ジャガイモ、タバコ、チョコレート、コメ、トマトなどが欧州に紹介されるようになり」、ことに「19世紀後半からは、インド、セイロンにおいて『紅茶のプランテーション』経営に成功した」ことから、上流階級の嗜好品として、英国で紅茶が親しまれていた事情が、よく分かる。

稲田氏は「英国民の習性〝スノッビズム〟(上流ぶった俗物主義、あやかり主義)であり、王室を頂点としたジェントルマン階級のライフスタイルを下のものがマネをする」と、英国人の紅茶への執着を皮肉たっぷりに紹介しているが、事実、そうした英国人気質を象徴的に描く時に、映画でも紅茶は重要なアイテムとして使われてきた。

「ロミオとジュリエット」(68)や「ブラザー・サン・シスター・ムーン」(72)のフランコ・ゼフィレッリ監督の晩年の作品である「ムッソリーニとお茶を」も、そうした映画の一本に挙げられるだろう。

30〜40年代のイタリア、第二次世界大戦前夜という緊迫した時代背景の中の群像劇で、ヒロインは

5人。元大使の未亡人レディ・ヘスター（マギー・スミス）、芸術家のアラベラ（ジュディ・デンチ）、レズビアンの考古学者ジョージー（リリー・トムリン）、富豪との結婚を繰り返す元踊り子のエルサ（シェール）、それに4人を見守るメアリー（ジョーン・プロンライト）という境遇もキャラクターも全く異なるが、仲の良いメンバーが、古都フィレンチェの美しい風景の中で、優雅な生活を送っている。

折しもファシズムの嵐が席巻しつつあり、外国人、特に英国人への弾圧がジワジワと始まっているが、彼女たちは一向に意に介さない。その自信の基になっているのは、レディ・ヘクターが、かつて独裁者ムッソリーニ（クラウディオ・スパダロ）と、一度だけ〝お茶〟を飲んだことがあるという事実だ。それほど権力者と親密な仲なんだから、迫害されるわけがないという、一方的な思い込みが彼女たちを支えている。傍《はた》から見て、それがいかに頼りにならないものであろうとも。

さすがに住む場所も限定され、幽閉に近い状況になっても、レディ・ヘクターだけは元大使夫人というプライドもあり、国外へ脱出しようという誘いにも応じない。映画は彼女たちと交流を持つことになる、ひとりの少年ルカ（ベアード・ウォーレス）の視点からも描かれるが、ゼフィレッリ監督の半自伝的作品というから、ルカこそ監督の分身なのだろう。この映画がイタリアとアメリカの合作であり、監督がイタリア人の目線から、典型的な英国人を描くという、なかなか凝った設定が、この映画に複雑さをもたらしている。それは英国人自身が、自国の映画の中でティーパーティを描いて自己完結してしまうのとは、異なる地点から、英国人気質を描くことになるからだ。

最初のうちは、彼女たちの生き方が何とも鼻持ちならないものに見えるのだが、それがだんだんと、時代の波に翻弄される愛すべき存在に見えてくる。少なくとも、彼女たちは、そんなふうにしか生きていけなかったし、まさに〝ムッソリーニとお茶を〟したことが存在証明だったのだ。〝スノッビズム〟を否定することなく、開き直りともいえる心意気で爽快な結末へと至るあたりは壮観で、ノスタルジーを蹴散らす力強ささえ漂っている。

前述した『紅茶入門』では、「英国は18世紀の中頃以降世界にさきがけて『産業革命』を成功させ、ヴィクトリア朝を通して近代的な工業社会を実現させていった。この間に英国内で新興『中産階級』の人たちが大量に生まれた。かつてジェントルマン階級の特権であった〝喫茶の習慣〟が彼らの生活文化として定着するためのさまざまな条件がつぎつぎと整っていった」とある。ゼフィレッリ監督が5人のヒロインたちに託したのは、そうした階層の人たちを並べることで、歴史の縮図の内側を提示したかったに違いない。異郷の地での彼女たちの政治への反応の違いは現代にも通じるものがあり、そこには、かけがえのない友情まで生まれている。紅茶が単なる社交文化を越える瞬間が描かれているといえば、大袈裟すぎるだろうか。

駅馬車

作品データ

「駅馬車」(1939 アメリカ) 監督/ジョン・フォード脚本/ダドリー・ニコルズ　主演/ジョン・ウェイン、クレア・トレヴァー、トーマス・ミッチェル、ジョン・キャラダイン、ドナルド・ミーク (96分)

西部開拓史の時代、雄大なモニュメント・バレーを背景に、飲んだくれの医者、酒の御人、賭博師、公金横領の銀行頭取、身重の貴婦人、町を追われた酒場の女、家族の仇を討つために脱獄したリンゴ・キッド、そして彼を追う保安官、それに御者の9人が乗る駅馬車をアパッチが襲撃する。追いつ追われつ、アパッチのひとりが先頭の馬に飛び乗るのを、リンゴ・キッドが撃つ、迫真のデッドヒート。

この「駅馬車」(39)をはじめ、「荒野の決闘」(46)、「捜索者」(56)、「騎兵隊」(59)などの名作で、ジョン・フォード監督は、〝西部劇の神様〟と呼ばれていたが、「駅馬車」製作当時は、そうではなかった。「駅馬車」は、「三悪人」(26)以来、ジョン・フォード監督にとっては、13年ぶりの西部劇であり、それまでの彼は文芸作品やサスペンス、戦争映画などで知られていた。30年代末期までに西部劇は量産されすぎて、むしろ下火の傾向にあった。そんな時期に作られた「駅馬車」は高度なスタントに支えられた駅馬車とアパッチのダイナミックな追撃に加えて、馬車に乗り合わせた人々の織り成す人間ドラマとしても高く評価されて大ヒット、これ一本で再び西部劇ブームが起きたほどだった。

当時、ユナイテッド日本支社の宣伝部員だった、のちの映画評論家・淀川長治氏が宣伝を担当していたのは有名な話。最初に「STAGE-COACH」の題名だけを知らされ、ニューヨークの舞台劇の裏話か、舞台監督の映画化かと思ったそうだ。しかも出演者の中で知られていたのは、ヒロインのクレア・トレヴァーのみ。ジョン・ウェインにしても、ラオール・ウォルシュ監督「ビッグ・トレイル」（30）に出演したとはいえ、その後は鳴かず飛ばず状態だった。B級ウェスタンに出演していた程度で、業界内ではほとんど忘れられていた存在であり、ドナルド・ミーク、ジョン・キャラダイン、トーマス・ミッチェル、バートン・チャーチル、アンディ・ディバイン、ティム・ホルトらの助演者たちも、ほぼ無名に近く、トーキー初期の大スターだったジョージ・バンクロフト以外は、ノースターの映画だったのだ。

やがて日本公開3カ月前に送られてきたフィルムを見て、淀川氏をはじめとする社員はビックリ。邦題もなかなか決まらず、西部劇は当たらないというジンクスがあって、「地獄馬車」や「燃ゆる車輪」という題名案も出たが、淀川氏は断固「駅馬車」を死守。試写会を毎日3回、3週間やり続けて、上司から首を宣告されたが、結果として大ヒットし、製作者のウォルター・ウェンジャーからは、淀川氏の名前入りの銀時計が贈られたそうだ。

そもそも、ジョン・フォードは、なぜ「駅馬車」を映画化しようとしたのか。もともとは、モーパッサン「脂肪の塊」の設定を西部に移し替えた、アーネスト・ヘイコックスの短編小説「ローズバード行きの駅馬車」を雑誌で読んだフォード監督が、その面白さに目をつけ、これなら比較的低予算で映画化できると踏んで、ダドリー・ニコルズに脚本を依頼し、「風と共に去りぬ」（39）の製作者デビッド・O・セルズニックに企画を売り込んだ。ところが、セルズニックは、ゲイリー・クーパーとマレーネ・ディートリッヒを主演にするという条件をつけ、端役の俳優だったジョン・ウェインにこだわったフォードとセルズニックは決裂し、結局ウォルター・ウェンジャーが製作を引き継ぐ形になった。

劇中で印象的なのは、トーマス・ミッチェル扮する酔いどれ医者ブーンが、途中の休憩所で妊娠していたルーシー（ルイーズ・ブラット）の助産をすることになる場面だ。酔っ払っているブーンは「ブラックコーヒーを」と叫び、何杯もがぶ飲みする。コーヒーの成分であるカフェインには、覚醒作用があり、交感神経を刺激し、胃の消化を助けるなどの効果があるが、ブーンは酔い覚ましに必死でコーヒーを飲み、無事に助産の役目を果たすことができた。西部劇には、しばしばコーヒーが登場するが、ここでは、その効果が最大限に発揮されている。コーヒーの起源には諸説あり、エチオピアから10世紀頃アラビアに伝わり、エジプトやトルコを経て、ヨーロッパ経由で、アメリカでも飲まれるようになったらしいが、当時の西部では最もポピュラーな飲み物として愛されていたようだ。

コーヒーの効果、それにラストでの保安官（ジョージ・バンクロフト）との粋なやりとりもあって、トーマス・ミッチェルは、アカデミー賞助演男優賞を受賞、以後ジョン・フォード作品の常連として活躍するが、名優たちの競演、豪快なアクションと共に、その面白さは何度見ても色褪せることがない。

相棒―劇場版―絶体絶命！
42.195km東京ビッグシティマラソン

作品データ

「相棒―劇場版―絶体絶命！ 42.195km東京ビッグシティマラソン」（2008 日本） 監督／和泉聖治 脚本／戸田山雅司 主演／水谷豊、寺脇康文、西田敏行、木村佳乃、本仮屋ユイカ、津川雅彦、平幹二朗、六角精児（117分）

TASC MONTHLYの2023年8月号で、飯田豊氏が「相棒」の杉下右京（水谷豊）の紅茶通について書かれているではないか。今号で「相棒」について書かせてもらおうと準備していたので、嗜好品といえば同じように連想されるのだなぁと思った次第。飯田氏の文章を拝読してから「相棒」を書こうと思ったわけではなく、これは本当の偶然です。

そもそも「相棒」は、2000年6月から、翌2001年11月にかけて、最初はテレビ朝日「土曜ワイド劇場」の枠で単発ドラマとして3回放送された。第一話「刑事が警官を殺した!?」には「警視庁ふたりだけの特命係」のサブタイトルがつけられている。最近刊行された、水谷豊・松田美智子「水谷豊自伝」（23／新潮社）の水谷氏の発言によれば、「成功するかどうかはやってみなければ分かりませんけど、ミレニアムを迎えた年の一本目の作品が『相棒』であることに対して、何かが起きそうな予感を覚えていました」「刑事物としてこんな本があるのかと驚いたし、とにかく面白かった」「第1話が放送された翌週、テレ朝の上層部から〈あれをシリーズにしてくれないか〉という話があったんです。ただ、僕としては、2時間ドラマの世界をもう少し試したい気持ちがあったので、シリーズ化の前に2時間枠で何本か作らせてほしいとお願いした」という経緯があった。

そして01年1月放映の第二話「恐怖の切り裂き魔連続殺人！」が、22％の視聴率を記録して、正式にシリーズ化が決定。02年10月から、Seasonの単位で始まり、Season1は、1クール（3カ月）、Season2からは、2クール（6カ月）で放映され、Season9では、平均視聴率23％を記録した。

僕は初回から現在までほとんど視聴しているファンのひとりだが、何よりその設定が抜群に面白い。頭脳明晰ながら、上層部に疎まれ窓際の特命係に追いやられた杉下右京が、相棒と組んで、次から次へと難事件に挑むが、鋭い社会派ネタあり、サスペンスあり、人情ものあり、アクションありと、毎回趣向が凝らされ、稀にだが、事件が未解決に終わったり、それが回を跨いで解決したり、犯人が捕まらなかったりするのだから、ドラマとしての幅が実に広かったりする。

初代相棒は寺脇康文で、名コンビが続いたが08年のSeason7を区切りに、彼が南アジアに位置する架空の国サルウィン共和国の子供たちに、日本語を教えるため移住するという設定で降板。これは水谷が「(相棒に) 安住せず、主役として外に出ろ」と説得したからだという。そして2代目の及川光博、3代目の成宮寛貴、4代目の反町隆史を経て、22年のSeason21からは、初代の寺脇康文が14年ぶりに復帰。サルウィン共和国から里帰りした彼が、右京とともに事件を解決するも、サルウィン政府から危険人物とみなされ、国外退去処分となり、再び右京とコンビを組む。「君との再会は運命です」という右京のセリフには、長年のファンとしてジーンときました。

「相棒」は、テレビ朝日開局50周年記念作品として、待望の劇場版「相棒 絶体絶命! 42.195㎞東京ビッグシティマラソン」(08) が製作された。これは連続殺人事件を発端として、東京のマラソン大会の爆破テロ計画を阻止し、その過程で、5年前に南米で起きた人質殺人事件の真相に迫るという意欲作だった。水谷豊にとっては、意外にも映画主演は、工藤栄一監督「逃がれの街」(83) から途絶えていて、実に25年ぶりの主演作でもあった。観客動員数370万人、興行収入44億4千万円を記録し、同年上半期邦画部門興行収入第一位となった。

以後「相棒」の劇場版は「相棒・警視庁占拠！特命係の一番長い夜」（10）「相棒・巨大密室！特命係絶海の孤島へ」（14）計3作、スピンオフとして「鑑識・米沢守の事件簿」（09）「相棒シリーズ・XDAY」（13）の2作も作られた。

テレビドラマや劇場版の中でも、息抜きとなっているのが、右京が特命係の部屋で紅茶を入れるシーンだ。ポットを驚くほど高く掲げて、一滴もこぼさず紅茶をカップに注ぐ。自伝でも「コツはね、ほんの少しの勇気です（笑）。毎回台本を読みながら、どこで紅茶を飲めるか考えていますね。初めて見た人は驚くし、何度見ても面白いと言われます」と語られているが、杉下右京という英国風紳士のキャラクターによく似合い、時には、そこで思いがけない推理が披露されたりする。

水谷の年齢的な問題もあり、そろそろファイナルではという声もあるが、まだまだ続いてほしい傑作ドラマです。

動く標的

作品データ

「動く標的」（1966 アメリカ） 監督／ジャック・スマイト 原作／ロス・マクドナルド 脚本／ウィリアム・ゴールドマン 主演／ポール・ニューマン、ローレン・バコール、ジュリー・ハリス、ジャネット・リー（121 分）

クエンティン・タランティーノが、9番目の監督作「ワンス・アポン・ア・タイム・イン・ハリウッド」(19)を元にノヴェライズ化した『その昔、ハリウッドで』(23/文藝春秋刊)を読んでいたら、こんな一節があった。

「ポール・ニューマンは、氷を浮かべた水に顔をつける。毎朝これをしているらしい。美容のためだろうか」。なるほど。それまで23本の映画に出演していたニューマンが初めて探偵役に挑んだ、ジャック・スマイト監督「動く標的」(66)の冒頭で、目覚めてすぐに氷を浮かべた水に顔をつけていたのは、これだったのか。ひょっとして、ニューマン自身のアイデアだったのかもしれない。

続いて彼はコーヒーを淹れようとするが、豆が切れていて昨夜のコーヒーフィルターをゴミ箱から拾い、それを使う件《くだり》が印象的だ。

村上春樹氏や和田誠氏も、吉本由美『するめ映画館』(10/文藝春秋刊)の鼎談のなかで、村上氏は「高校時代、『動く標的』を2回続けて観た」、和田氏は「最初にコーヒーを淹れるところ。一度使った滓をまた使う。それまでにも私立探偵ものはたくさんあったんですよ。(略)でも『動く標的』のハーパーは行動は格好いいんだけど、生活はみすぼらしい。そういうところが、逆に新鮮でしたね」とそれぞれ発言している。

アメリカのハードボイルド小説を代表する作家といえば、ダシール・ハメット、レイモンド・チャンドラー、ロス・マクドナルドが挙げられるが、ハメットは、サム・スペード、チャンドラーは、フィリップ・マーロウ、マクドナルドは、リュウ・アーチャーという私立探偵を創造した。だが、アーチャーは「動く標的」以降の「ウィチャリー家の女」や「一瞬の敵」などの原作本を読み、他の探偵たちと比較しても、なぜか影が薄い。

ミステリー評論家の故・瀬戸川猛資《たけし》氏は『世界ミステリー全集6・ロス・マクドナルド集』（94／早川書房刊）の解説で「（アーチャーには）今までの私立探偵が備えていた個性らしき個性は何もない。（略）彼は事件の解決にあたって興奮もせず、血を燃やして怒ることもなくひとりで感傷に耽ることもない。ただ事件の底に潜む謎を慈悲深さを堪えた視線で、じっと凝視するひとりの冷静な傍観者である」と書かれているが、まさにその通りなのだ。

私立探偵の嗜好品といえば、酒にたばこにコーヒーが付きものだが、「動く標的」の主人公は、前述した冒頭のコーヒーを除き、酒もたばこも手にせず、ただガムを噛んでいるだけ。珍しいといえば珍しい私立探偵である。

ところで原作の主人公の名前は、リュウ・アーチャーなのに、映画では、リュウ・ハーパー。原題も「Harper」。これは当時、ニューマンに「ハスラー」（61）や「ハッド」（63）などのヒット作があり、Hで始まるタイトルに彼がこだわっていたという説もあったが、実は原作者のマクドナルドが「リュウ・アーチャー」というキャラクターの名前の版権を保持したかったというのが真相らしい。

ともあれ、「動く標的」は失踪した大富豪の行方を追ううち、ハーパーが、大富豪の妻（ローレン・

バコール）や、怪しい弁護士（アーサー・ヒル）、富豪の娘（パメラ・ティフィン）に取りいるジゴロ（ロバート・ワグナー）、酒浸りの元女優（ジェリー・ウィンタース）、やさぐれジャズ・シンガー（ジュリー・ハリス）ら、胡散臭い関係者に会い、謎を解いていくという地味といえば地味な物語だが、最後まで緊張感が途切れないのは、脚本のウィリアム・ゴールドマンの構成力、ジャック・スマイト監督の堅実な演出力、何より冒頭の氷漬けの水と、コーヒーを淹れる場面だけで、ハーパーのキャラクターを打ち出したニューマンの演技力の賜物だろう。

ポール・ニューマンは、50年代以降のハリウッドを代表するスターのひとりだが、本人はスターとして扱われたり、スター的意識を持つことは避け、娯楽色の強い作品のあとには、シリアスな作品や異色の題材を描いた作品に進んで出演し、スター・アクターとしての存在を目指していたらしい。「動く標的」は、ちょうどその中間に位置していて、本人も気に入ったらしく、「魔のプール」を原作にした「新・動く標的」（75）にも出演した。

その後、ニューマンは再びゴールドマンと組んで「明日に向って撃て！」（69）をヒットさせ（同作でゴールドマンは、アカデミー脚本賞を受賞）、自身は「ハスラー2」（86）でアカデミー主演男優賞を受賞し、幸福な晩年を送った。ロス・マクドナルドは、アルツハイマー症を患い、83年、サンタバーバラで67歳で亡くなっている。人生いろいろです。

3

食事だって嗜好品

食べ物編

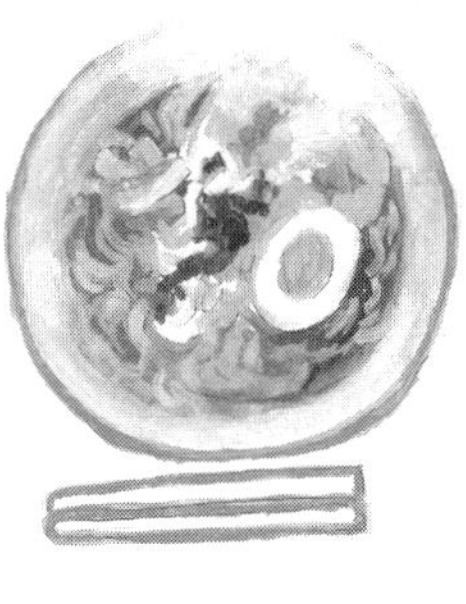

しあわせのパン

作品データ

「しあわせのパン」(2012 日本) 監督・脚本/三島有紀子　主演/原田知世、大泉洋、平岡祐太、森カンナ(現・森矢カンナ)、平岡祐太、中村嘉葎雄、渡辺美佐子、あがた森魚、光石研、余貴美子(114分)

何だか、せわしない日常から逃れて、例えば北海道の広大な自然の中で、のんびりとすごしたいなあと思ったりもしますが、それに加えて美味しいパンとコーヒーがあれば、言うことなし。現実逃避と言われても仕方ありませんが、都道府県境を跨ぐ移動も、ままならぬ昨今では、少し前までは容易だったことも、贅沢な夢かもしれません。あれ、そんな映画あったなあと記憶の奥を探って、出てきたのが、この「しあわせのパン」でした。

パンを扱った映画は他にも多数あり、89年に劇場用アニメとしてスタートし、現在に至るまで30年間以上、毎年1本作られている「それいけ！アンパンマン」シリーズがあり、何しろ、アンパンマンに、しょくぱんまん、カレーパンマン、そしてメロンパンナ、ロールパンナと、主要キャラクターのほとんどがパンなんだから凄い。故・やなせたかし先生が、創造した不動の人気ワールドですしね。しかし、いくら何でもこれは安易な連想だなあと反省。アニメでは、宮崎駿監督「魔女の宅急便」(89)のヒロイン・キキの下宿先も、パン屋さんだったし。ことほど左様に、アニメとパンとの関わりは深く、実写映画では、フィンランドにオールロケした、荻上直子監督「かもめ食堂」(05)の看板料理は、おにぎりでしたが、シナモンロールも美味しそうでした。村上春樹の短篇小説を映画化した、山川直人監督「パン屋襲撃」(82)は文字通りパン屋さんが舞台の好篇でしたし、私が気がつかないだけで、パンが重要な要素として登場する映画は他にも沢山あるはず。

「しあわせのパン」の世界に戻れば、この映画の舞台は、北海道洞爺町の月浦。洞爺湖畔で、パンカフェ「マーニ」を営む夫婦、水縞くん（大泉洋）と、りえさん（原田知世）が主人公。ふたりが、そこでカフェをはじめる過程は省き、カフェを訪れる、お客さんの目線で描いているのが、とても好ましいです。店を訪れるのは、革の大きなトランクを抱える山高帽の阿部さん（あがた森魚）や、何でも聞こえてしまう地獄耳のガラス細工作家ヨーコさん（余貴美子）、北海道から出られない青年トキオ（平岡祐太）ら、近所の人々。近所とはいえ、バイクで片道3時間とか、相当距離がありそうですが、常連客のお目当ては勿論、美味しいパンとコーヒー。水縞くんが毎日パンを焼き、りえさんがコーヒーを淹れる。ライ麦パンに、栗のパン、チーズパン、リンゴの蜂蜜パンと、どれも実に美味しそう。これは大泉さんの演技力と、フードスタイリストの石森いずみさんの功績でしょうね。

四季を通じて、というか、夏、秋、冬、それぞれに外の世界からの訪問者があり、章ごとのエピソードで、オムニバス仕立て。夏篇では、沖縄旅行をすっぽかされた傷心のカオリ（森カンナ）、秋篇では、口をきかない少女・未久（八木優希）と、そのパパ（光石研）、冬篇では、想い出の地に再びやって来た老夫婦（中村嘉葎雄、渡辺美佐子）、春篇の意外な訪問者は……これは見てのお楽しみ。

やっぱり、みんな、いろいろ事情があって、カフェを訪れますが、彼らを迎える水縞くんと、りえさんの自然な対応が素晴らしい。決して、出しゃばらず、それでいて、きちんと彼らと向き合う、その姿勢こそが、この映画の肝であり、最大の魅力といえるのでは。監督は、「幼な子われらに生まれ」（17）や「Ｒｅｄ」（20）の三島有紀子で、これが監督第2作目というのが信じられないほど、達者で落ち着いた演出は好ましい限り。

ひと昔流行した〝癒し〟という言葉は、今では微妙なニュアンスで、安易に使われがちだけど、この映画に漂う空気は、まさに最良の意味で、観客の心を解してくれる。だからこそ、出てくるパンのどれもが、とても美味しそうに見える。個人的に一番食べてみたいのはカンパーニュ。

冒頭、水縞くんの「カンパーニュが焼けました」というセリフが印象的だったこともありますが、カンパーニュは、フランス語で「田舎風パン」を意味し、スープによく合うパンだとか。パンに詳しい方には、言わずもがなで、何だか、お恥ずかしい。そして、カフェの外に広がる、溜息が出るほど美しい風景が、パンの美味しさを、いっそう引き立てているんだろうなと確信します。どこで食べるかも、大事な要素でしょうし。

ラストに流れる主題歌は、矢野顕子と故・忌野清志郎のデュエットによる「ひとつだけ」。清志郎の歌声も懐かしい。心が洗われますよ。

タンポポ

作品データ

「タンポポ」(1985 日本) 監督・脚本／伊丹十三　主演／山崎努、宮本信子、役所広司、渡辺謙、安岡力也、加藤嘉、井川比佐志、大滝秀治、桜金造、藤田敏八、橋爪功、洞口依子、大友柳太朗、岡田茉莉子 (114 分)

半世紀近く前になるが、「塩」「味噌」「醤油」のどれが一番美味しいかと、友人同士で相当熱っぽく話したことがあった。勿論、ラーメンの話です。どんな味のラーメンが好きかで、その人の性格が分かると、誰かが言い出したから、そういう話になったような気がする。私は「味噌」派だったが、今はどの味のラーメンも好き。どの味が好みかでどんな性格だったかは、昔の話で、すっかり忘れてしまいましたが。

ラーメンが出てくる映画は、結構たくさんあったりする。フランキー堺主演のコメディ「ラーメン大使」(67)や、東京を舞台にした、故ブリタニー・マーフィ主演「ラーメンガール」(08)、人気ラーメン店〝中華蕎麦・とみ田〟の店主・冨田治氏に密着取材したドキュメンタリー「ラーメンヘッズ」(17)、最近でも「家族のレシピ」(18)や「ラーメン食いてぇ!」(18)などなど、探せば、まだあるような気がする。

しかし、ラーメンについて最も核心に迫った(!?)映画といえば、伊丹十三監督「タンポポ」(85)に尽きるのではないかと思います。どうでしょうか。長編デビュー作「お葬式」(84)の大ヒットに続く監督第2作目。ある町にふらりと現れたタンクローリーのドライバー、ゴロー(山崎努)が、さびれたラーメン屋を女手ひとつで支えている未亡人のタンポポ(宮本信子)に心惹かれ、そのラーメン屋を町一番の旨い店にするべく、仲間たちと組んで奮闘する物語。伊丹監督は、名作西部劇「シェーン」(53)のイメージを基《もと》に、つまりゴローとタンポポの関わりを軸にして、物語を組み立て、公開時のキャッチコピーは、「これぞ、ラーメン・ウェスタン」。どうすれば、美味しいラーメンを作ることができるのか。麺の種類から、ゆで具合、かんすいの量、それに客あしらいに至るまで、さすがスーパー・ディレッタント伊丹十三だけあって、微に入り細に入り、成程なあと感心させられますが、その合間に、チャーハンやオムライス、焼肉、鴨南蛮、北京ダック、生牡蠣、スパゲティーなど、13もの食べ物にまつわるエピソードが盛り込まれ、さながら料理大全のような構成になっているあたりがユニーク。もともと企画の始まりは、種村季弘の名著『食物漫遊記』からだったそうで、その名残りが映画の隅々に反映しているのも興味深く、そうしたエピソードの数々に、岡田茉莉子や藤田敏八、大滝秀治、橋爪功ら豪華名優陣が惜しみなく投入されているのも見事。

さて、日本でラーメンを食べるようになったのは、いつ頃からなのか。調べてみると、これが諸説あって特定するのが難しいのですが、1884（明治17）年に、函館の「養和軒」という店のメニューに「南京そば」があり、函館新聞に広告も掲載され、日本で最初の中華麺として宣伝されていますが、この「南京そば」が現在のラーメンにつながる汁そばだったかどうかは、当時の資料が少なく不明のまま。それから26年後の1910（明治43）年に、日本人経営者の尾崎貫一が、横浜中華街から中国料理人12名を雇い入れ、浅草に日本人向けの中華料理店「来々軒」を開店。一大ブームを巻き起こしますが、その店の主力メニューが「南京そば」&「支那そば」で、どうやらこれが記録に残るラーメンのはじまりという可能性が強く、日本人の日常生活に「ラーメン」という言葉が定着し、小説や随筆などにも度々登場するきっかけになったようです。ちなみに「タンポポ」でも、ヒロインの店の名前は「来々軒」。映画の後半では改装するにあたって、店名も「タンポポ」に変わりますが、伊丹監督が、この歴史的事実に則って「来々軒」と命名したのかどうか。今となっては分かりませんが、蘊蓄《うんちく》にたけ、調査魔でもあった伊丹監督のことですし、偶然ではないかもしれません。

「ラーメンの先生」として、大友《おおとも》柳太朗、「ラーメン作りの師匠」として、加藤嘉《よし》と、今は亡き二大名優が貫禄たっぷりに演じていますが、実はこの映画の撮影現場には取材者として筆者も何度か訪れ、大友さんには長時間インタビューを敢行。時代劇映画の名優は「私は和食一筋で、ラーメンは、あんまり食べませんなあ」と言われたことを思い出します。調布のにっかつ撮影所に、ラーメン屋のセットが建てられ、そのカウンターで、伊丹監督と話しこんだのも、今では懐かしい思い出。以後、伊丹監督は「マルサの女」(87)、「あげまん」(90)、「ミンボーの女」(90)、「大病人」(93)、「マルタイの女」(97)などのヒット作を連打。該博《がいはく》な知識に裏付けられた快作を次々と生み出していきます。

焼肉ドラゴン

作品データ

「焼肉ドラゴン」(2018　日本) 監督・脚本／鄭義信　主演／真木よう子、井上真央、大泉洋、桜庭ななみ、キム・サンホ、イ・ジョンウン、大谷亮平、大江晋平、宇野祥平、根岸季衣 (128分)

調べれば調べるほど、焼肉の世界の奥の深さが、少しずつ理解できるようになった。嗜好品と呼ぶには些《いささ》か重量級かもしれないが、その歴史は、日本の食文化のなかでも独特の位置にあり、本当に興味深い。家族や友人と共に食べた焼肉の味が忘れられない人も多いだろうし、小池克臣氏の著書『肉バカ。』（17／集英社刊）に「焼肉には人を笑顔にするエネルギーがある」と書かれているが、何となく納得できるような気がする。

焼肉を題材にした映画も意外に（というと失礼かもしれないが）多く、たとえば、グ・スーヨン監督、松田龍平主演「THE焼肉MOVIE プルコギ」（06）や、食通として知られる寺門ジモンの初監督作「フード・ラック！ 食運」（20）などが思い浮かぶが、演劇界ではトップクラスの演出家であり、映画「月はどっちに出ている」（93）や「愛を乞うひと」（98）「血と骨」（04）などの脚本家としても知られる鄭義信《チョンウイシン》の監督デビュー作「焼肉ドラゴン」（18）について書いてみたい。

もともとは日韓共同制作で、08年に彼が書いた戯曲が元で、08年度の読売演劇大賞、芸術選奨文部科学大臣賞、紀伊國屋演劇賞など数々の演劇賞を総なめにして、12年に再演、16年に再々演され、満を持して映画化された。

70（昭和45）年、万国博覧会が開催されて高度経済成長に浮かれる時代を背景に、関西の地方都市の一角で、焼肉店〝焼肉ドラゴン〟を営む家族の物語。店名の由来は、父親、龍吉の〝龍〟からとられ、長屋の中の自宅兼店舗で話は展開する。龍吉（キム・サンホ）と妻、英順（イ・ジョンウン）、そして静花（真木よう子）、梨花（井上真央）、美花（桜庭ななみ）の三姉妹に、ひとり息子、時生（大江晋平）の6人暮らし。静花の幼馴染、哲男（大泉洋）や、騒がしい常連客たちで、店はいつも賑わっている。当然ながら、店内には炭火の煙が朦々と立ち込めていて、全篇こちらにも焼肉の匂いが漂ってくるようだ。

些細なことで笑い、泣く日常が繰り広げられるが、そんな〝焼肉ドラゴン〟にも容赦なく時代の波が押し寄せ、家族はラストでバラバラになってしまうが、そこで絆の強さは、いっそう強調される。監督自らが韓国に行き、出演交渉して口説いた両親役のキム・サンホ、イ・ジョンウンの名演が、映画の屋台骨をガッチリ支えている。キム・サンホは、バイプレイヤーとして売れっ子であり、イ・ジョンウンは、日本でも大ヒットしたポン・ジュノ監督「パラサイト・半地下の家族」（19）の家政婦役でブレイクし、今や引っ張りだこの状態とか。

ところで、焼肉の日本での歴史は案外新しい。明治時代、日本では公式に肉食が解禁されたものの、もっぱら、すき焼きや西洋料理で肉は用いられ、直火で焼く調理法は、それほど広まらなかったらしい。焼肉が一般的になったのは、戦後、食糧難に陥っていた頃のこと。在日朝鮮人が日本人が食べずに捨てていた、牛や豚の内臓を入手し、直火で焼いて食べさせる屋台を闇市で始め、これが人気を博したという。このホルモン焼きから、のちにカルビやロースなどの肉を取り入れ、現在の焼肉の起源になったというのが、一般的な説だが、じつは明治以前から、日本人は山間部を中心に鳥や猪などの肉を直火で焼いて食べていたというし、戦前にも牛や豚の内臓を使ったモツ煮込みや、串に刺して焼いた食べるモツ焼きも、一部では好まれていた。

30年代には、当時ソウルで流行っていたカルビ焼きや、すき焼き風のプルコギなど「その場で焼いて食べる」形式が、朝鮮からの移住者によって大阪の地に伝えられたと記す文献もある。30年代半ばには、焼肉屋の原形は日本でも確立していたので、戦後になってから焼肉が広まったという通説に異を唱える向きもある。諸説あるが、どうやら焼肉文化は、同時多発的に進行し、庶民の間で親しまれるようになったのは、やはり闇市あたりからというが、妥当なところでは、ないだろうか。

「焼肉ドラゴン」のなかでは、焼肉は生活の手段であると同時に、逞しい生き方を象徴しているようで、ストレートに感情を爆発させ、怒鳴りあい、抱きあい、許しあう姿は壮観ですらある。鄭監督の実家は鉄屑屋だったそうだが、戦後、土地を持たない人々が、勝手にバラックを建て、父親がその土地を買ったと主張するエピソードは、映画のなかでも描かれている。国有地は買えるはずもないのに、父親は、あくまで「買った」と言い張ったそうだが、そうした笑って泣かせる描写に、監督の自伝的色彩が濃く、戯曲や、その映画化でも大いに発揮され、傑作が生まれたのだろう。「焼肉ドラゴン」の世界は不滅です。

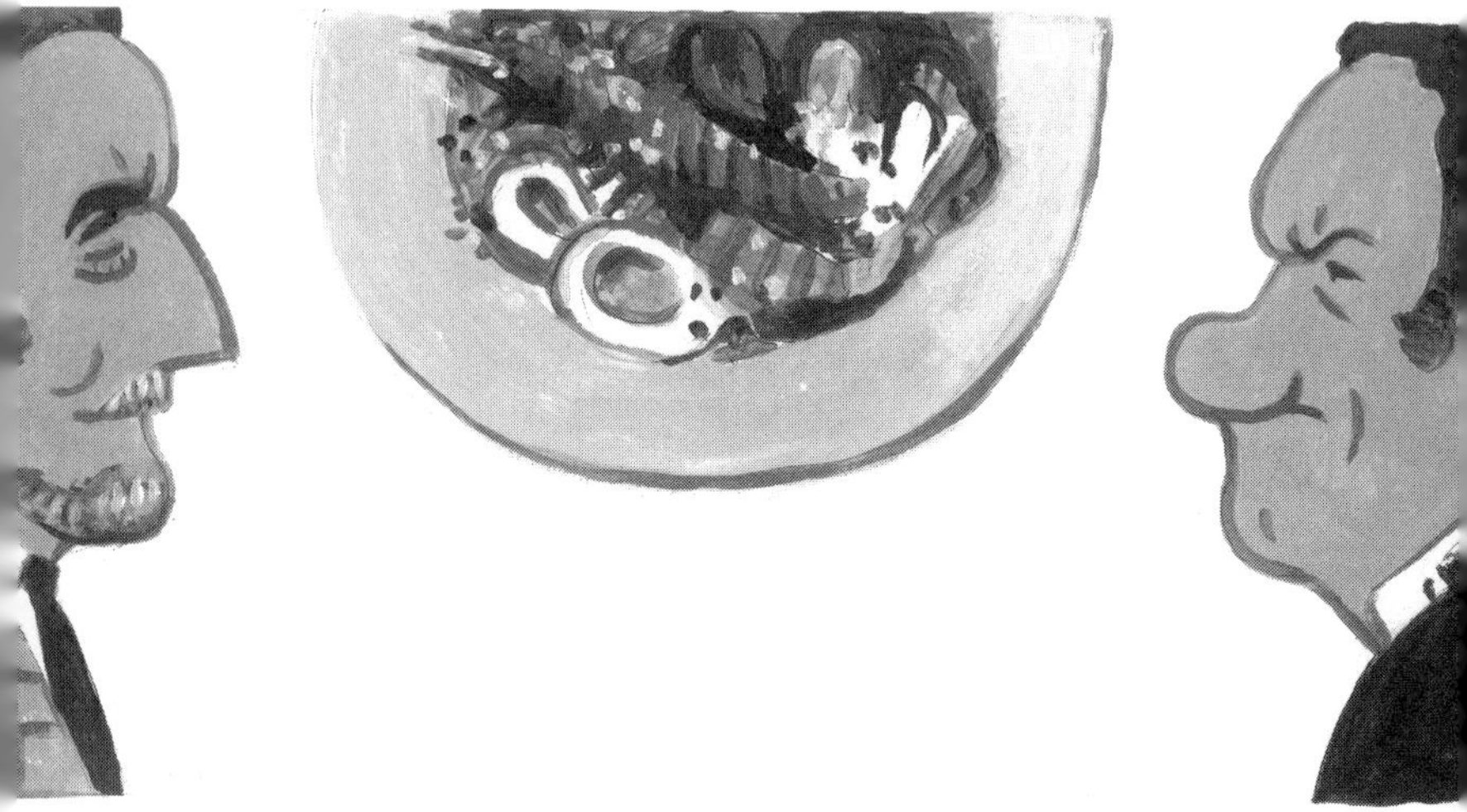

フレンチ・コネクション 2

作品データ

「フレンチ・コネクション 2」（1975 アメリカ）
監督／ジョン・フランケンハイマー　撮影／クロード・ルノワール　主演／ジーン・ハックマン、フェルナンド・レイ、ベルナール・ブレッソン（120 分）

ウィリアム・フリードキン監督「フレンチ・コネクション」(71)は、フランスのマルセイユからニューヨークへと密輸される3千200万ドルのヘロインをめぐって、NY市警の敏腕刑事、通称ポパイことドイル(ジーン・ハックマン)と相棒ラソー(ロイ・シャイダー)、そして麻薬密輸組織の大ボス、シャルニエ(フェルナンド・レイ)の壮絶な攻防戦を息もつかせぬスリルとサスペンスで描いて大ヒット。フリードキン監督のリアリズムを追求したドキュメンタリータッチも高く評価されて、71年度アカデミー賞主要5部門(作品賞、監督賞、主演男優賞、脚色賞、編集賞)を受賞した。

その続編は、シャルニエ逮捕を目的に、単独でマルセイユに派遣されたポパイが、逆に相手に捕まり、麻薬漬けにされ、廃人寸前にまで追いつめられてしまう。製作会社の20世紀フォックスから、続編を撮ることを打診されたジョン・フランケンハイマー監督は、前作が気に入っていただけに、当初は気乗りがしなかったという。それも無理からぬ話で、「大列車作戦」(64)や「グランプリ」(66)などの大作映画で知られていた彼が、いかにヒット作とはいえ、他人が撮った作品の続編を撮るのは、どう見ても沽券《こけん》に関わるだろう。

ただ、オファーの時点では、ストーリーも未定で、フランスで撮ることと、前作に引き続いて、ジーン・ハックマンが主演することだけしか決まっていなかった。結局、フランケンハイマー監督は、何年間か、フランスに滞在していたこともあり、いつかはその地で映画を撮ってみたかったということと、かつてバート・ランカスター主演「さすらいの大空」(69)で組んだこともあったジーン・ハックマンの魅力にひかれ、再び一緒に仕事ができるので引き受けることになった。破格の高額のギャランティーも理由のひとつだったらしいが、その詳細は明らかにされていない。

紆余曲折の末に完成した「フレンチ・コネクション2」(75)は、「ゴッドファーザー」(72)や「エイリアン」(79)シリーズと同様に、続編のハンデを破り、2作目が1作目を凌駕したという評価も出たほどに成功した。成功の要因には、マルセイユのロケーションが最大限に生かされていたこともあるだろう。

ことに食べ物が効果的に使われていたこともあるが、例えば前作でも、高級レストランで食事をするシャルニエたちを、外で見張るポパイたちが、寒さに震えながら薄いピザを食べ、紙コップのコーヒーを飲む場面では、叩き上げの刑事と、金持ちの麻薬王の対比が鮮やかに捉えられていた。

続編でも麻薬を缶詰に封入する件《くだり》が出てくるが、そのラベルが、マルセイユ名物のブイヤベースというのが面白い。マルセイユといえば、ブイヤベース、ブイヤベースといえば、マルセイユと言われるほどだから、この趣向は心憎いばかり。ブイヤベースは、フカヒレスープや、トムヤムクン(ボルシチと言われることもある)と共に、世界3大スープと呼ばれている。マルセイユなど地中海沿岸地方で作られる漁師料理として有名で、とれたての魚介類、甲殻類、貝などを主材料に、トマトや玉ねぎ、にんにく、そしてサフランなどの香辛料で煮込み……と、こう書いているだけで、思わず涎が垂れてきそうだ。

斉田育秀『映画のグルメ』（12／五曜書房刊）によれば、薄切りパンにスープを注いで食べたりするが、現地では魚介類を取り出し「ルイユ」と呼ばれるソースで食べたりもするらしい。「ルイユ」は、その色がピンクなので「さび」という意味のこの名がついた。ニンニク入りマヨネーズの「アイヨリ」に似ているが、赤唐辛子とパンの白身、さらにブイヤベースの煮汁を加えて食べると絶品らしい。と言うのも、現地で食べるブイヤベースと、現地以外のそれとは、天と地ほどの開きもあるらしいので、ぜひ一度は現地で食べてみたい。

映画の話に戻れば、フランケンハイマー監督は前作の手法を踏襲して全篇ほぼロケーション、手持ちカメラで撮ったが、建物の内部などはセットを組んだとか。薄汚れた内装は、セットならではのものと監督は自画自賛している。ちなみにＤＶＤのオーディオ・コメンタリーで、監督はジーン・ハックマンの演技力を絶賛しているが、別テイクのハックマンのコメントは、監督について奥歯にものが挟まったような発言しかしておらず、そのあたりの微妙なすれちがいも、実に興味深い。

実は映画のラストで、市街から港にかけて、ポパイがシャルニエを執拗に追跡する場面があるが、この時、ハックマンは足を痛めていて、歩くのも相当に辛かったとか。監督は彼に全力疾走を要求したので、この時の記憶がつきまとっていたのかも。

ブレードランナー

作品データ

「ブレードランナー」（1982　アメリカ）　監督／リドリー・スコット　原作／フィリップ・K・ディック　主演／ハリソン・フォード、ルドガー・ハウワー、ショーン・ヤング、ダリル・ハンナ（オリジナル劇場版は 116 分）

製作当時からは、近未来の21世紀。酸性雨が降り注ぐ薄暗闇の大都会を舞台に、外見からは人間と見分けがつかないアンドロイドのレプリカントたちが、人間を殺して逃走する。彼らを追うブレードランナーと呼ばれる特任捜査官デッカード（ハリソン・フォード）が、街に潜伏するレプリカントを追う、このSF映画の中で伝説的に語り継がれている場面がある。

リドリー・スコット監督が来日した際に訪れた新宿歌舞伎町をヒントに作られたという退廃的な街並みの屋台に、デッカードが座り、メニューを指差して「4つ、くれ」と注文する。店の親父が「ふたつで充分ですよ！」と、日本語で言う。デッカードは「いや、4つだ。2足す2で4つ」。「ふたつで充分ですよ」と親父は繰り返す。聞く耳を持たないデッカードは「それと、うどんだ」と言う。親父は「分かってくださいよ」と情けなさそうに言う。

ふたつとか4つとか、一体何？　デッカードは何を食べたがっているのか。運ばれてきた丼の中身が写されないだけに、余計に気になる。町山智浩氏の「〈映画の見方〉がわかる本 80年代アメリカ映画カルトムービー篇 ブレードランナーの未来世紀（映画秘宝コレクション）」（05／洋泉社刊）を読んで、初めて糸口がつかめた。デヴィッド・ピープルズによって書き直された撮影用シナリオには、出てきたうどんの上に魚の切り身がふたつしか載っていないのを見て、デッカードががっかりするシーンがあったらしい。試写用のワークプリントには、完成版からカットされた丼の中身のショットがあり、「それを観た数少ない人によれば、ふたつのエビ天が入っていた」という証言があったそうだ。

「ブレードランナー」には様々なバージョンがあり、07年にリリースされた「ブレードランナー製作25周年アルティメット・コレクターズ・エディション」には、オリジナル劇場版（82／116分）、インターナショナル劇場版（82／117分）、ディレクターズ・カット最終版（92／116分）、ファイナル・カット（07／117分）が収録されているが、特典として、リサーチ試写用ワークプリント（82／113分）も収録されていて、これで確認すると、丼の中身が写ってました。一瞬である上に、薄暗い画面なので定かではないけど、少なくともエビ天ではない。ナスビのようにも見えるし、マグロの刺身のようでもある。どちらにしても、あまり美味しそうではなく、デッカードは、こういうものが好物だったのか、曖昧に処理されているだけになおさら気にかかる。竹中直人監督「山形スクリーム」（09）では、この画面の会話がまるごと引用されていた。ちなみに「分かってくださいよ」と言っていた屋台の親父は、ロバート・オカザキという日系アメリカ人俳優で、Sushi Master としてクレジットされている。

デッカード役は、当初はロバート・ミッチャムの名前が挙がっていたが、売れっ子だったダスティン・ホフマンにオファーされるも、スコット監督との方向性の違いで降板。スピルバーグ作品に出演していたハリソン・フォードに白羽の矢が立つ。

シド・ミードの美術デザイン、ダグラス・トランブルのＳＦＸ、メビウスの衣装デザインなどが結集して、のちのＳＦ映画に大きな影響を与える作品になったものの、完成した作品は賛否両論の真っぷたつに分かれ、ワシントン・ポスト誌では「心を打つシナリオから、素晴らしく超モダンなセットに至るまで、あらゆる面に偉大な作品」と絶賛され、ニューヨーク・タイムズ誌では「めちゃくちゃで、ぞっとする、混乱そのもの」と酷評された。

興行は不発だったが、そのせいか、ハリソン・フォードは、この映画に対して長年否定的だった。いったん撮影が終了したにもかかわらず、追加撮影のために何度も呼ばれたことも理由のひとつだったらしい。だが、カルト作品として評価が上がるにつれて、態度は軟化。インタビューにも応じるようになり、ドゥニ・ヴィルヌーヴ監督による続編「ブレードランナー２０４９」にもデッカード役で出演している。

屋台でデッカードに話しかけるガフ役のエドワード・ジェームズ・オルモスは、のちに「落ちこぼれの天使たち」（88）でアカデミー主演男優賞にノミネート、「アメリカン・ミー」（92）では監督・主演にも挑戦した。日本にも縁が深く、角川映画「白昼の死角」（79）、「復活の日」（80）に出演。「風の谷のナウシカ」英語版（05）にも声の出演をしている。もちろん「ブレードランナー２０４９」にも同じガフ役で出演。近年ではＴＶドラマへの出演が多いらしいが、「復活の日」製作発表記者会見時に、お会いしたことがあり、気さくな人柄に好感が持てた。

様々な研究書も数多く出版され、93年にはアメリカ国立フィルム登録簿に永久登録され、ＳＦ映画史上不滅の傑作として高く評価されている。めでたし、めでたしというところか。

ダーティハリー

作品データ

「ダーティハリー」（1971　アメリカ）監督／ドン・シーゲル　脚本／ハリー・ジュリアン・フィンク他　主演／クリント・イーストウッド、アンディ・ロビンスン、ハリー・ガーディノ、レニ・サントニ（102分）

若いッ！　半世紀近くも前の映画だから、当たり前と言えば当たり前の話だが、ハリー役のクリント・イーストウッドは、40代に入ったばかり。現役の俳優として「運び屋」（18）や「クライ・マッチョ」（21）に主演し、監督作も続くらしいが、「ダーティハリー」（71）の颯爽とした勇姿を見ると、同時代に作品を見てきた一ファンとして、また、ここだけの話だが、筆者と同じ誕生日に生まれた方として、誇らしくさえ思えてくる。それほど「ダーティハリー」のイーストウッドは、カッコイイ。当たり役として、「ダーティハリー2」（73）、「ダーティハリー3」（76）、「ダーティハリー4」（83）、「ダーティハリー5」（88）とシリーズ化されたのも、よく分かる。

この一作目で、とりわけ印象的なのは、冒頭近く、食事をしようとスタンドに入ると、店主に「ランチか、ディナーか」と問われ、「どう違うんだ」と、ハリーが聞くと、「大して変わりはない」と言われて、ホットドッグを食べる件《くだり》。文献によっては、ハンバーガーと書かれたりしているが、ここは、まぎれもなくホットドッグです。美味しそう。やがて背後の路上に駐車している不審者に気づき、ホットドッグを頬張りながら、悠然と歩いて、銀行強盗の車にマグナム44の弾丸を撃ち込む。車は横転、消火栓が破裂し、街中が騒然とする名場面だ。

ハリーは弾丸をくらって倒れた強盗のひとりに近づく。強盗は傍の散弾銃に手を伸ばそうとするが、ハリーは銃口を突きつけ、「もう5発撃ったが、自分でも、まだ弾丸が残っているかいないか分からない。賭けてみないか」と提案。強盗は散弾銃を諦め、ハリーは去ろうとする。「で、どうなんだ」

と言う強盗に、ハリーは引き金を引くが、弾丸はなかったのだ。この場面、ベトナム帰りの狂気の連続殺人犯サソリ（アンディ・ロビンスン）との対決の伏線にもなっているのが心憎い。

「ダーティハリー」は基本的にはサンフランシスコ市内でロケーション撮影されたが、この銀行強盗の場面だけは、ユニヴァーサル・スタジオのオープンセットで撮影された。街角の映画館に、イーストウッドの初監督作「恐怖のメロディ」（71）の看板が見えるのもご愛嬌。

もともと「ダーティハリー」は、ハリー・ジュリアン・フィンクと、リタ・M・フィンクのオリジナル脚本から企画がスタートし、ユニヴァーサルが映画化権を取得、ポール・ニューマン主演で映画化しようとした。ところが、ポール・ニューマンは、手の負傷という説や、役柄が〝ダーティ〟すぎて敬遠したという説もあり、降板。ワーナーに権利が移り、フランク・シナトラや、ジョン・ウェインに打診するも断られ、クリント・イーストウッドに主演の話が持ち込まれ、彼は「ドンが監督するなら」と引き受ける。イーストウッドとドン・シーゲル監督は、それまで「マンハッタン無宿」（69）、「真昼の死闘」（70）、「白い肌の異常な夜」（71）でコンビを組み、意気投合していたのだ。結果的に傑作となり、両者にとっては代表作となったが、ドン・シーゲルは以後、シリーズを手がけず、「アルカトラズからの脱出」（79）で顔を合わせている。ハリー役を蹴ったことを後悔していたジョン・ウェインは、シーゲルとは「ラスト・シューティスト」（76）で組み、これが彼の遺作となった。

サソリ役のアンディ・ロビンスンは、信頼できる文献に、「名優エドワード・G・ロビンスンの息子」と書かれているのを見つけ、本当か！と驚いたが、調べてみると、これは真っ赤なFAKEでした。みなさん、気をつけましょう。彼の父親は、彼が3歳の時に第二次世界大戦で戦死。「ダーティハリー」のサソリ役で、いちやく注目されるも、そのあまりの強烈さに、同じようなタイプの役ばかり依頼されるようになり、嫌気がさして78年から5年間休業。カリフォルニアで大工として働きながら、地元の中学や高校で演劇を指導していたとか。シルベスター・スタローン主演「コブラ」（86）で本格的に復帰し、映画やＴＶドラマの脇役として活躍し、80歳を過ぎた現在でも健在。なかなかない人生ではないですか。

「ダーティハリー」は同時期に公開された「フレンチ・コネクション」（71）と共にヒットして話題になったが、著名な映画評論家ポーリン・ケイルからは「ハリーは、どう見ても単なるジャンル映画にすぎないが、他ならぬこのジャンルこそ、昔からファッショ的素質を備えており、それがついに表面に出たのである。（略）犯罪は困窮、苦難、精神異常、社会の不公平から引き起こされるものであり、それゆえに『ダーティハリー』はきわめて不道徳な映画である」と非難された。

イーストウッドは「あの映画は暴力の味方をする男の話ではなく、暴力を許す社会が理解できない男の話だ」と反論し、それが功を奏したか、時を超えて「ダーティハリー」は今も観客に愛され続けている。

遠雷

作品データ

「遠雷」(1981　日本)　監督／根岸吉太郎　脚本／荒井晴彦　製作／樋口弘美、岡田裕、佐々木史朗　音楽／井上堯之　主演／永島敏行、石田えり、ジョニー大倉、横山リエ、ケーシー高峰、原泉、七尾怜子(135分)

ビニールハウスの中のトマトから映画は始まる。ところが、このトマト、あまり赤くならない。ハウスの中で働く主人公の満夫（永島敏行）に近所の主婦たちが「ねぇ、安く売ってよ」と声をかける。満夫は「スーパーで売ってるやつは腐りかかったやつさ。よく見ろや、同じ赤でも艶が違うからよ」と答える。

１９８１年度のブルーリボン監督賞をはじめ、数々の賞を受賞した根岸吉太郎監督「遠雷」（81）は、野間文芸新人賞を受賞した立松和平の同名小説の映画化だが、ともすれば、大都会を舞台にしたお洒落な青春映画を跋扈《ばっこ》させていた新人監督の中で、都市化の波が押し寄せているとはいえ、農業に従事する青年を主人公にした映画の登場には驚かされた。しかも暗さとは無縁で、農作業そのものも軽快な視点で描いているのも新鮮であり、好感が持てた。

74年に日活に入社し、藤田敏八や曽根中生監督作品の助監督を経て、「オリオンの殺意より・情事の方程式」（78）で監督デビューした根岸吉太郎は、この時まだ27歳だった。時代の寵児として話題にはなったが、「女生徒」（79）や「暴行儀式」（80）、「狂った果実」（81）などロマンポルノの枠内で作品を撮り続け、初の一般映画として満を持して撮ったのが「遠雷」だった。実は助監督時代から彼に注目していたＡＴＧの佐々木史朗プロデューサーは「遠雷」を根岸監督のデビュー作にしたかったが、待っている間に7本撮り、根岸自身も立松和平の「ブリキの北回帰線」を映画化したいと考えていたので、「遠雷」の企画に入ったという。

80年代、バブル経済に狂奔する前夜、トマトの値崩れに焦る満夫は、行きつけのスナックに「トマトマン」の名でダルマをキープしたり、ハウスで思わずトマトに頰擦りしたりと、トマトは映画の中のもうひとつの主人公のようにも見える。

世界で最も多く栽培されているというトマトは、南米アンデス山脈の高原地帯が原産地であり、ナス科ナス属の野菜であると、今回調べてみて初めて知った。園芸的には果菜類に分類され、水分が90%を占めているという。トマトの語源はメキシコ先住民の言葉、ナワトル語の「トマトゥル」が由来で、その意味は「膨らむ果実」とか。日本にトマトが入ってきたのは17世紀で、その当時は観賞用であり、野菜として栽培されるようになったのは、明治維新以降だったと、田淵俊人「まるごとわかるトマト」(17/誠文堂新光社)に記されている。当時、店頭に並んでいたのは、青味がかったピンク系のもので、品種改良が繰り返されたこともあり、今はそうでもないらしい・

映画に戻ると、満夫は、あや子(石田えり)と見合いをして意気投合し、フィアンセとしてつきあうようになるが、その自然児的な振る舞いの数々は微笑ましく、映画を力強く牽引する。ふたりは軽トラにトマトを積んで、近所の団地に行き、「豊作御礼大処分」として、「たった今、とれたトマトだよ。早い者勝ちだ!」と、1袋100円で売ったりする。満夫役の永島敏行は「ドカベン」(77)でデビューし、「サード」(78)の主演を経て、この「遠雷」で、のびのびとした個性を開花させ、キネマ旬報主演男優賞、ブルーリボン主演男優賞を受賞。ただ単に能天気なキャラクターではなく、内面に鬱屈を抱え、それでも農業に生きようとする覚悟を秘めた演技が高く評価され、実生活でも彼は、その後、農業に深く関わるようになる。

満夫の幼なじみであり親友の広次（ジョニー大倉）も、この映画では大きな存在といえる。工業団地に住む人妻カエデ（横山リエ）との愛欲に溺れ、逃避行を重ね、ついには彼女を殺してしまう。満夫の結婚式の夜に戻り、ビニールハウスの中で、満夫にその経緯を独白する場面は圧巻といえる。純情かつ脆い一面を持つ広次は、もうひとりの満夫だと、満夫自身も自覚することで、映画の奥行きは、さらに深くなっている。警察へ自首に付き添う満夫は、まるで自分が自首するような切迫した感情に襲われる。だからこそ、宴に戻った満夫が、あや子とデュエットする桜田淳子の「私の青い鳥」が、満夫の覚悟と共に、この上なく感動的な瞬間として伝わってくる。

ところで「東洋のハリウッド」と呼ばれていた調布の日活撮影所は、80年代には広大な敷地の半分が売却され、撮影所は立ち並ぶマンションから見下ろされる形になっていた。ちょうど団地から見下ろされるビニールハウスと撮影所が、ぴったり重なって見える。懸命にトマトを作る満夫たちの姿は、より面白い作品を作ろうとしていた映画人たちの姿でもあるんですか？　と根岸監督に訊ねたら、「そりゃ、そうだよ」と言われたのを思い出す。野暮な質問でした。映画の中でトマトが独特の輝きを帯びていた理由が納得できた。

快盗ルビィ

作品データ

「快盗ルビィ」（1988　日本）　監督・脚本／和田誠　原作／ヘンリー・スレッサー　音楽／八木正生　主演／小泉今日子、真田広之、水野久美、名古屋章、陣内孝則、天本英世、吉田日出子、岡田真澄、伊佐山ひろ子（96 分）

今も続く週刊文春の表紙絵などで知られるイラストレーターの和田誠は、映画監督としてもその才能を存分に発揮したが、「快盗ルビィ」（88）は「麻雀放浪記」（84）に続く長編劇映画第2作目。個人的には、和田監督は毎日映画コンクール大藤信郎賞を受賞した短篇アニメーションの傑作「殺人・MURDER」（64）の作者として鮮烈な印象があり、その新作を待望してやまない存在だった。

「怪盗」ではなく「快盗ルビィ」の原作は、ヘンリー・スレッサーの「快盗ルビィ・マーチンスン」。ただし原作では、ルビィは男だが、小泉今日子演じる加藤留美というチャーミングな女の子に変更されている。和田監督は、当初は大竹しのぶと野々村真のコンビで構想を練っていたが、製作会社のサンダンス・カンパニーのプロデューサーが、小泉今日子のマネージャーと親しかった縁から、彼女がルビィ役に決まり、ルビィにふり回されるドジで純情なサラリーマン徹役を、「麻雀放浪記」でも組んだ真田広之が演じることになった。ヒーロー役として人気のあった真田だが、結果的に、この映画への出演で、その芸域の広さを証明し、この小粋な映画が生まれた。

冴えないサラリーマン徹は、マンションの上の階に引っ越してきたスタイリストの留美ことルビィと親しくなるが、彼女は実は犯罪者だと徹に打ち明け、嫌がる徹を相棒にする。ところが、ルビィが計画した詐欺や銀行強盗は、ことごとく失敗。高級マンション〈ザナドゥ〉に目をつけて空き巣に入ったものの、徹は、鍵のこわれた浴室に閉じこめられてしまう。ルビィが修理業者に変装して、徹を救出する件りなど、何度見ても面白い。

映画の中で印象的なエピソードがあった。洒落た輸入食品やワインを取り扱う店に、徹が泥棒の下見に行くのだが、慣れない店内で、彼の行動は、どう見ても挙動不審。店主に「何かお探しですか」と訊ねられ、「あ、これです。あった、あった」と思わず手に取った、小さな瓶に入ったキャビアを買ってしまう。だが、お会計で、5300円と言われて、ビックリ！　翌朝、徹は、その瓶を開け恐る恐る匂いを嗅ぎ、ほんのひと口食べてみるとあまりの美味しさに、さらにビックリ！　ご飯にキャビアを山盛りに乗せ、キャビア丼にして、パクパクと食べてしまう場面は、爆笑必至だ。若い観客にとっては、この映画で初めてキャビアの存在を知ったという声も多く、今も語り草になっている。

キャビアって、そんなに美味しかったっけと言う勿れ。キャビアにも、いろいろランクがあり、高級品ともなると、その美味しさたるや絶品——と知ったふうなことを書くほどのグルメではないが、そもそも、キャビアはチョウザメ科の魚の卵を塩漬けにしたものですよね。

キャビアを製造するには、チョウザメが生きているうちに、その卵を取り出さなくてはならず、魚が死ぬと、その酵素が魚卵の風味を損ねてしまうらしい。次に魚卵をふるいにかけ、卵を包んでいる薄い膜を丁寧に取り除き、卵をひと粒ひと粒ばらばらにしてから、洗って不純物を取り除く。その後、塩漬けにして缶に詰め、氷点より少し低い温度で最低でも一年間冷蔵する。この間に保存処理プロセスが進むそうだが、完璧なキャビアを作る職人になるためには、何年もの修行が必要だとか。ことほど左様に、本格的なキャビア作りには、大変な手間暇がかかる——ということを、ビル・プライス

『図説・世界史を変えた50の食物』（15／原書房刊）という大冊の書物で教えられました。

キャビアといえば、カスピ海に住む3種類のチョウザメ――ベルーガ、オシェトラ、セヴルーガが有名で、19世紀後半には、それより以前の高品質のものが大量に出回り、贅沢な高級品というイメージが定着した。ロシアの領土拡張で、キャビアはロシアに莫大な富をもたらしたが、同時に乱獲も進行し、チョウザメも希少なものになった。さらに1991年にソ連が崩壊すると、キャビアの闇取引がはじまるようになり、カスピ海で大規模な密漁が行われ、野生のチョウザメは絶滅寸前の状態になってしまった。最も人気の高いベルーガが危なく、現在、市場で取引されているほとんどのキャビアは養殖したチョウザメの卵といわれている。

キャビアの歴史に深入りしすぎてしまい、慌てて「快盗ルビィ」に戻ると、コメディであると同時にミュージカルとしても忘れ難く、ルビィと徹がデュエットする挿入歌「たとえばフォーエバー」は思わず口ずさみたくなる名曲で、作詞・作曲は、もちろん和田誠。劇場公開時には、和田監督による23分のミュージカル・アニメーション「怪盗ジゴマ・音楽篇」（88）が同時上映されたのも懐かしい思い出だ。２０１９年、83歳で逝去。「快盗ルビィ」以後も、「怖がる人々」（94）や「真夜中まで」（99）などの監督作品がある。

4

魅力的な酔っ払いたち

お酒編

聖なる酔っぱらいの伝説

作品データ

「聖なる酔っぱらいの伝説」（1988　イタリア＝フランス合作）監督・脚本／エルマンノ・オルミ
主演／ルトガー・ハウアー、アンソニー・クエイル、サンドリーヌ・デュマ、ソフィー・セガレン（128分）

お酒の関わる映画について調べていくと、これはもう出てくるわ、出てくるわ、題名を挙げていくだけで、ページが埋まってしまうほど。思えばこれは当然のことで、たとえば、獄中だとか、海や山で遭難中という特殊な空間を除けば、人間とお酒は切っても切れない親密な関係といえる。そもそも、紀元前４０００年頃からワインはメソポタミア地方のシュメール人によって飲まれていたというし、同じメソポタミア地方では、紀元前３０００年頃から盛んにワインが製造されていたそうだから、そのつきあいは年季が入っている。

日常生活でも「まあ、ちょっと一杯飲もうよ」が挨拶がわりになっているので、お酒の出てこない映画を探す方が難しい。ちなみに筆者は体質の関係で、アルコールは一滴も受け付けないが、酒席は大歓迎で、若い頃はウーロン茶だけで朝までつきあったりしたけれど、最近は周囲が高齢化し、その機会がめっきり少なくなったのが残念。酒飲みの方は、必要以上に下戸に気を遣ってくださるのは有り難いが、個人差はあるかもしれないけど、こちらは全然大丈夫なので、今後もどんどん誘ってくださいませ。まったく飲まない筆者としては、少し唸って、ビリー・ワイルダー監督の名作「失われた週末」（45）や、ヘンリー・マンシーニの名曲で知られる「酒とバラの日々」（45）は、どうかなあとも思いましたが、これはどちらも重度のアルコール依存症を描いた作品で、酒飲みの方には、あまりふれられたくないようで、どうも失礼しました。

さて、アトランダムに思いつくだけでも、トム・クルーズ主演の「カクテル」（88）は、もちろんカクテル・バーが舞台で、よくレッドアイを飲んでいたし、ボギー主演の「カサブランカ」(42)は酒場がメインで、劇中ではシャンパンとコアントローが印象的。アル・パチーノがアカデミー主演男優賞を受賞した「セント・オブ・ウーマン/夢の香り」(02)では、ジャック・ダニエルを愛飲していました。わが日本では、黒澤明監督の名作「酔いどれ天使」(48)や勝新太郎主演「酔いどれ博士」(66)は、題名にもあるように、秀れた医術の持ち主かつ豪快なキャラクターが売りだった。

洋の東西を問わず、酔っぱらいを描いた映画はたくさんあるが、今回お薦めしたいのは「聖なる酔っぱらいの伝説」(88)。北イタリアの農村生活を自然主義リアリズムで描いた「木靴の樹」(78)で、カンヌ映画祭パルム・ドールを受賞した巨匠エルマンノ・オルミ監督の作品である。ドキュメンタリーを含む真摯な映画作りで知られる彼がどうしてまた、酔っぱらいを主人公にした映画をと、公開時には疑問に思ったのを記憶している。

オーストリアの作家ヨーゼフ・ロートの小説を原作に、セーヌ川の橋の下に住む酒浸りの浮浪者アンドレアス(ルトガー・ハウアー)が主人公。ある日、彼は、ひとりの老紳士(アンソニー・クエイル)に出会い、日曜の朝までに教会に返済することを条件に、2百フランを借りる。期日迄に返さなければいけないなあと思いながら、ついつい、飲んで、飲んで、飲み倒すアンドレアス。飲むうちに彼の身の上に不思議な出来事が起き、しだいに現実なのか、妄想なのか、分からなくなってくるというあたりが、奇妙にリアルといえばリアル。

どうやら、老紳士は、神の化身ではないのかと暗示されているが、とうとう、少女に姿を変えた聖テレーズが現れるという奇跡に遭遇する。これには、主人公のみならず、こちらも驚かされる。このあたりが、オルミ監督の狙いらしく、神への信仰と、人間の業の象徴である酒を絡ませて描いたのが高く評価され、ヴェネチア映画祭では金獅子賞を受賞。まるで、ウィスキーグラスの中から、アンドレアスの姿を、じっと見ているようなユニークな手法に唸らされた。アンドレアス役のルトガー・ハウアーは、SFのカルト作「ブレードランナー」(82)で、一躍有名になった個性派俳優だが、B級活劇の主演作も多い彼にとっては、「聖なる酔っぱらいの伝説」は間違いなく代表作の一本として挙げられる。酔っぱらって、ぐでんぐでんになっているだけにしか見えない、その姿は、どこまでが演技なのか、地なのか不明というあたりが迫真の演技なのだろうか。

そういえば、60年代に「無責任男」シリーズで一世を風靡した植木等の酔っぱらいの演技は、お見事の一語に尽きましたが、実際の彼は、私同様に、体質的にお酒は一滴も飲めなかったとか。ルトガー・ハウアーは実際に酒豪だったそうだが、これは、どちらがどうとも言えないかも。

「ハングオーバー」シリーズ

作品データ

「ハングオーバー！ 消えた花ムコと史上最悪の二日酔い」（2009　アメリカ）「ハングオーバー!! 史上最悪の二日酔い、国境を越える」（2011　アメリカ）「ハングオーバー!!! 最後の反省会」（2013　アメリカ）　全て共に、監督／トッド・フィリップス　主演／ブラッドリー・クーパー、エド・ヘルムズ、ザック・ガリフィアナキス（100分、102分、100分）

多人数のグループで、大酒を飲み、へべれけになって意識を失うというのは、少し前までは日常的な出来事だったが、コロナ禍の最中では夢物語になってしまった。嗜好品の王者ともいうべき、お酒をめぐる映画は多くあるが、そうした顛末を描いた作品の中でも、とりわけ印象的だったのが、この「ハングオーバー」シリーズだった。「ハングオーバー」とは、二日酔いのこと。

第1作目、「ハングオーバー！ 消えた花ムコと史上最悪の二日酔い」（09）は、結婚式を控えた新郎が、仲間たちと独身最後の夜をハチャメチャに過ごす〝バチェラー・パーティ〟から始まる。日本ではあまり知られていないが、「バチェラー・パーティ」は、アメリカでは定番のイベントらしく、トム・ハンクス主演の初期作で、１９８４年には同題名のコメディも作られている。「ハングオーバー！」は、新郎ダグ（ジャスティン・バーサ）の結婚を祝うため、フィル（ブラッドリー・クーパー）、ステュ（エド・ヘルムズ）、アラン（ザック・ガリフィアナキス）が、ラスベガスの豪華ホテルでパーティを開く。独身最後の思い出作りのはずが、一夜明けたら、その記憶が全くない！ ビールか、ウィスキーか、ウォッカか、一体何を飲んだのか、映画の中では明確に提示されていないけれど、とにかく部屋の中は、大量のビンやカンでいっぱい。しかも、スイートルームのクローゼットの中では赤ちゃんが泣いているし、バスルームには獰猛な虎。なぜか、ステュの歯が一本欠けているし、肝心の新郎は、どこかに消えている。

おぼつかない記憶の糸をたぐるうち、前夜犯した過ちの数々が明らかになるが、何といっても、結婚式までに新郎を発見しなくては大変なことになる！ 行く先々で奇想天外なトラブルが巻き起こる、このコメディは大ヒットし、第67回ゴールデングローブ賞、ミュージカル、コメディ部門の作品賞を受賞。さっそく、同じスタッフ、キャストで「ハングオーバー!! 史上最悪の二日酔い、国境を越える」（11）が作られた。

国境を越えて、このメンバー、どこへ行ったかといえば、タイのバンコクへ。ステュの結婚を祝って、懲りずに〝バチェラー・パーティ〟を開くが、さすがに前回の反省を踏まえて、各自ビール1本ずつ飲んだはずだが、また、やらかしてしまう。見知らぬ汚れたホテルの部屋で目覚めると、今度は、アランの髪がなくなり、ステュの顔にはタトゥが入り、部屋の中には猿がいた。ステュの婚約者の弟テディも一緒だったが、何と彼が消えている。一足先に自室に戻って、巻き込まれずに済んだダグと連絡をとりあいながら、フィル、ステュ、アランの3人組は、前作にも登場した謎の中国人チャウ（ケン・チョン）と共に、首都バンコクを彷徨う破目となる。

二度あることは三度あるの譬《たとえ》通り、完結篇「ハングオーバー!!! 最後の反省会」（13）も作られた。トラブルメーカーのアランを施設に入れるため、フィルとステュ、ダグは車を走らせると、その途中で大物ギャングに遭遇。なぜか、そのギャングから、タイで刑務所に入れられていたチャウが脱獄したので、彼を探してこいと命令され、ダグを人質に取られてしまう。チャウを捕まえるため、メキシコに向かうが、上手くいかず、紆余曲折の末、思い出の地ラスベガスへ。今度は、お酒がらみの話ではないんだなあと思っていると、エピローグで、キチンと、又しても……というオチでした。

災難続きで、大いに笑わせてくれたシリーズだったが、これが大きなステップとなり3作全てを撮ったトッド・フィリップス監督は、一転して話題作「ジョーカー」（19）を手がけ、メガヒットを飛ばして、映画賞も軒並み受賞。ブラッドリー・クーパーは、クリント・イーストウッド監督「アメリカン・スナイパー」（14）の主役に起用され、シリアスな役をこなせることを証明し、その幅広い演技が高く評価された。とうとう「アリー！ スター誕生」（18）では、監督デビューを果たし、レディー・ガガの相手役として主演を務め、堂々たる活躍ぶり。史上最悪の二日酔いも、関係者にとっては、決してムダではなかったわけで、願わくば、「新ハングオーバー」シリーズも作ってほしい。話は、まだ終わってないしね。

お熱いのがお好き

作品データ

「お熱いのがお好き」（1959　アメリカ）監督・製作・脚本／ビリー・ワイルダー　脚本／I.A.L.ダイヤモンド　主演／マリリン・モンロー、トニー・カーチス、ジャック・レモン、ジョージ・ラフト（119分）

「お熱いのがお好き」(59)は、「昼下りの情事」(57)や「アパートの鍵貸します」(60)と並ぶ名匠ビリー・ワイルダー監督の代表作のひとつとして映画史の中に記憶されているが、その舞台は禁酒法時代のシカゴ。

アメリカ合衆国では、1920年から1933年までの間、合衆国憲法修正第18条下において、禁酒法が施行され、消費のためのアルコールの製造、販売、輸送が全面的に禁止されていた。そうはいっても、酒好きにしてみれば、酒を飲むのは、止められない。

ケビン・R・コザー「ウィスキーの歴史」(15/原書房)には「人々はウイスキーを隠す巧妙なやり方を考え出した。政府の役人は、ジョニーウォーカー赤ラベルの長方形の瓶がパンの中に隠されて密輸されるのを見つけた。あいにくなことに、大陸国家アメリカは、300万平方マイル(約750万平方キロメートル)以上の広大な陸地が続く国である。「すべての土地ですべての人にアルコール飲料の製造をやめさせるのは行政上不可能だった」とある。「お熱いのがお好き」でも、酒は重要なアイテムになっているといえる。

冒頭、夜の市街を霊柩車が走り、葬儀社の前で止まる。この葬儀社、実はもぐりの酒場で、隠し扉の内側は大宴会の真っ最中。酒場のミュージシャンであるジョニー(トニー・カーチス)とジェリー(ジャック・レモン)はギャングのコロンボ(ジョージ・ラフト)一味が密告者たちを殺す現場を偶然にも目撃し、一味に追われるはめになる。追跡をかわすために、マイアミへの脱出をはかるふたりは女装して、女ばかりのジャズ・バンドに潜り込む。バンドのボーカルであるシュガー（マリリン・モンロー）は、大のバーボン好き。旅の途中で、ジェリーがシュガーを庇ったことから、寝台車の中で眠るジェリーの横へシュガーが潜り込んでくる。

ケッサクなのが、この場面。シュガーは先程の礼を言うと、一緒にお酒を飲もうよと誘い、ふたりで飲みはじめるが、そのうち他の楽団員たちが続々とやってくる。みんな酒好きなのだ。狭い寝台の中でパーティ状態になり、突然シュガーが「ヴェルモットある？　マンハッタンを作ろうよ」と声を張り上げる。ウイスキー・カクテル！　幸いヴェルモットはあったが、肝心のミキシング・グラスがない。そこでゴム製の水枕に、ウイスキーとヴェルモットを混ぜ合わせて、パーティは、ますますエスカレート。抱腹絶倒の名場面でした。

だが現実の撮影は困難を極めた。当時のマリリンの実生活は、睡眠薬と共に酒にも溺れ、精神状態は常に不安定で、常時、遅刻はするわ、化粧室から出てこないわで、しばしば撮影は中断された。しかも彼女は、この作品をカラーだと思っていたが、スタジオに行ってモノクロであることを知らされ、それ以来、不機嫌になる始末。ワイルダー監督は製作費の面でモノクロにしたわけではなく、カラーにすると、主役ふたりの女装のメイクアップが薄いとゲイに見える可能性があるし、濃いとドラァグクイーンのように映るのを懸念して、あえてモノクロにしたのだ。

出演者同士の間でもトラブルは絶えず、マリリンは簡単なセリフでも40回以上NGを出し、レモンは当時の雑誌の取材で「マリリンの体には一種の警報装置が埋め込まれていて、撮影中でも、それが鳴り出すと、全てストップする。目をつむり、唇を噛み、手を握りしめて、警報が止むまで耐えるしかない」と言うほどだった。カーチスに至っては、彼女とのキスの感想を聞かれ「ヒトラーと口づけするようなものです」と答えたが、後年、DVDの特典映像のインタビューでは「僕はそんなことを言った覚えはない」とも言っているが、関係者のほぼ全員が故人となった現在では、どちらが真実なのか定かではない。

マリリンに同情すべき点があるとすれば、当時彼女は妊娠中であり、夫のアーサー・ミラーがワシントンで審問を受けていたという事情が大きく影響していたのかもしれない。

そうした最中にあっても、ワイルダー監督は映画全体を冷静にコントロールしていた。元雑誌編集者のドーン・ハリスンを、アソシエイト・プロデューサーに迎え、わざわざスタッフに加え、カットごとに、どう映画に組み込むか、話し合いをしていた。事実、完成した映画は大ヒットし、アカデミー賞6部門にノミネートされ、衣装デザイン賞を受賞。映画の中で、マリリンが歌う〝I wanna be loved by you（あなたに愛されたいのに）〟は、魅惑の名場面ともいうべきで、いかに現場でトラブルが続出しても、その片鱗を微塵も感じさせず、ハリウッド屈指の傑作コメディに仕上げたワイルダー監督の演出力は、さすがといえる。

ナイル殺人事件

作品データ

「ナイル殺人事件」(2021 アメリカ) 監督・製作・主演/ケネス・ブラナー　原作/アガサ・クリスティ　主演/ガル・ガドット、アーミー・ハマー、エマ・マッキー、アネット・ベニング (127分)

コルクが抜かれ、黄金色の液体が冷えたグラスに注がれる。シュワーッと立ちのぼる泡を眺めて飲む。その芳醇な味わいは、宴の席をさらに盛り上げる。

２００９年、オバマ大統領の就任を祝う晩餐会では、１００本ものイタリア産スパークリングワインが振る舞われたとか。華やかな舞台にシャンパンは欠かせない。

映画とシャンパンの相性は良く「００７」シリーズでも、ジェームズ・ボンド（特にショーン・コネリーの時代）は、美女と最高級のシャンパンを飲んでいた。〝灰色の脳細胞〟を誇る名探偵エルキュール・ポアロも、シャンパンが大好物らしく、この「ナイル殺人事件」（21）でも、優雅にグラスを傾けている。

〝ミステリーの女王〟ことアガサ・クリスティが創造した名探偵ポアロは、数々の難事件を解決するキャラクターだが、中でも傑作「ナイルに死す」を映像化した「ナイル殺人事件」は、高級リゾート地として世界中から富裕層が集まる30年代のエジプトを舞台にスフィンクスやピラミッド、巨大な立像がそびえるアブ・シンベルの神殿など、ふんだんに有名観光地が登場し、贅を尽くした豪華客船の中で起きる連続殺人事件だけに見応えは十分。

前作「オリエント急行殺人事件」（17）に続いて、名優ケネス・ブラナーがポアロに扮し、監督も兼任している。社交界の花形であり、莫大な財産を相続したリネット（ガル・ガドット）が、失業中の青年サイモン（アミー・ハマー）と結婚し、客船を貸し切りにしてハネムーンのクルーズに出かけるが、招待客の中には彼女を快く思わない人物も多い。関係者の中には、彼女の財産を狙う者もあり、とりわけ婚約者だったサイモンを奪われたジャクリーン（エマ・マッキー）は、行く先々に現われて、脅迫まがいのいやがらせをする。ポアロは、そんな彼女を押しとどめようとするが、恐ろしい惨劇があり、第2の事件まで起こる。容疑者は乗客全員。事件の最中に、ポアロは犯人の計略にかかってしまうが、その重要な小道具として使われるのが、シャンパンだった。華やかな衣装や宝石などを身に付けたセレブたちのファッションが目を引くが、そうした環境の中では、ポアロならずとも、シャンパンに酔いしれてしまうのは無理からぬことと納得できる。

ちなみに、「ナイル殺人事件」は、78年にもジョン・ギラーミン監督で映画化され、ポアロ役は、ピーター・ユスチノフ。ユスチノフは「ナイル殺人事件」の他に「地中海殺人事件」（82）「死海殺人事件」（88）さらにテレビ映画でも3本（85〜86）、ポアロに扮している。ユスチノフのポアロも、はまり役だったが、ケネス・ブラナーは、ロイヤル・シェイクスピア・カンパニー出身で、ローレンス・オリヴィエの再来といわれているだけに貫禄も十分。原作にはないポアロの前日譚というべき戦争体験や、その特徴である口ひげの由来なども描き、より深みのある内容に仕上げている。自身の伝記的作品である「ベルファスト」（21）も続けて公開される売れっ子ぶりだ。ブラナーを囲んで「ワンダーウーマン」（17）のガル・ガドット、「君の名前で僕を呼んで」（17）のアーミー・ハマー、「グリフターズ・詐欺師たち」（90）でアカデミー賞にノミネートされたアネット・ベニング、Netflix のオリジナルドラマ「セックス・エデュケーション」(19〜20)で人気の出たエマ・マッキーなど豪華なキャストが、ゴージャスな雰囲気を醸し出している。

ところで、ベッキー・スー・エプスタイン著『シャンパンの歴史』(19/原書房刊)によれば、シャンパンは、もともと「欠陥ワイン」だったとか。「シャンパンの泡は、フランスのシャンパーニュ地方の涼しい気候ゆえに偶然生まれた不要の産物だった。シュワシュワと泡立つ奇妙なワインを気に入る人はいたものの、ワイン生産者たちにとって、発泡ワインは失敗作だった。『シャンパンの祖』として知られるドン・ペリニョンも、最初は泡のない正統派のワインをつくるために四苦八苦していた」というのは意外だが、今や日本は、アメリカ、イギリスに次いで輸入量第3位になるほどの「シャンパン王国」。身近で親しまれる飲み物になっている。

上質なシャンパンのように。ブラナー監督・主演の「ポアロ」シリーズは、この二作目で打ち止めとなるはずだったが、好評につき、「シリーズの中でもマイナーな作品を原作に」「大胆にシフトした」第3弾「名探偵・ポアロ ベネチアの亡霊」(23)も製作された。これは、かなりホラーテイストで、新機軸を狙ったんでしょうね。

居酒屋兆治

作品データ

「居酒屋兆治」（1983　日本）　監督／降旗康男
原作／山口瞳　脚本／大野靖子　撮影／木村大作　主演／高倉健、大原麗子、加藤登紀子、伊丹十三、田中邦衛、佐藤慶、大滝秀治、小松政夫、ちあきなおみ、池部良（126分）

居酒屋の壁に貼ってある手書きのメニューを眺めるのが好きだ。「焼き鳥」に「だし巻き卵」「おひたし」「酢の物」「ポテトサラダ」そして「唐揚げ」。家でも簡単にできそうな品揃えだが、居酒屋でお酒を飲みながらつまむところに味わいがある。まさに嗜好品の集合体というか、オンパレードだろう。

居酒屋を舞台にした映画は数多いが、題名の中に入っているのが、高倉健主演「居酒屋兆治」(83)だ。ＤＶＤのパッケージ写真にも、店内の手書きメニューがあり「お新香」「あさりバター」「もずく」「塩辛」「いかの丸焼き」などの文字が見える。

直木賞作家、山口瞳の原作小説は、最初は「兆治」という題名で、雑誌「波」１９７９年10月号から１９８０年11月号まで連載され、１９８２年６月に改題して新潮社から刊行された。国立にある広さ５坪の縄のれんのモツ焼き屋「兆治」を舞台に、店に集う客たちのドラマを織り込んだ連作長編だが、この居酒屋にはモデルがあった。国立市の南武線谷保駅近くの「文蔵」がその店（現在は閉店）。山口氏の自宅の近所にあった行きつけのお店で、「週刊新潮」に連載を続けていた名物エッセイ「男性自身」にも度々登場していた。

小説化にあたって、なぜ店の名前が「兆治」になったのか。実はプロ野球選手で、ロッテオリオンズのエース投手だった村田兆治から採られている。高倉健演じる主人公、藤野英治は、かつて高校野球のエースで、村田兆治への憧れから店の名前を「兆治」にしたという設定になっている。大の野球ファンだった山口氏が、村田の全力投球に魅了されて命名したというのが背景にあるらしい。

映画化にあたっては、国立から函館の街に舞台を移し、小さな居酒屋を営む主人公、英治と、彼のかつての恋人さよ（大原麗子）への想い、そして妻茂子。（加藤登紀子）との日常、店に集まる様々な人たちの人生を描いたドラマになっている。この客たちの顔ぶれがすごい。数々の作品で健さんとの共演を果たしている田中邦衛が無二の親友、岩下役。そして東映「昭和残侠伝」シリーズで、健さんと共にラストの道行きをしていた池部良が、生命保険会社の社員というキャスティングが渋い。

何より英治の幼なじみで、昔からの「ガキ大将気質」、酒が入ると、やたらに英治に絡んで暴力を振るうタクシー会社の副社長、河原役に伊丹十三が扮し、憎まれ役を嬉々として演じているのが興味深い。同じ年に「家族ゲーム」や「細雪」にも出演し、本作と合わせて各映画賞の助演男優賞を総嘗《な》めにし、個性派俳優として絶好調だった。翌年、「お葬式」（84）で監督デビューを果たした、その直前の時期にあたる。他にも、大滝秀治、武田鉄矢、小松政夫、ちあきなおみらが、常連客で脇を固めている。セリフこそないものの、原作者の山口瞳と、題字の山藤章二が客としてカウンターに座っているのもご愛嬌。

映画全体の軸としては、かつて恋人同士で別れたさよの嫁ぎ先が火事に遭い、彼女が子供を置いて失踪するエピソードを中心に、英治の許《もと》に時々かかってくる無言電話が、さよの存在を暗示し、英治は彼女を探すことになる。そんな夫を静かに見守る妻の茂子は、ラスト近く「人が心に思う事は誰にも止められない」とつぶやく。ヒステリックに夫を非難するわけでもなく、終始、自分の心を押し隠しているだけに説得力があり、映画の要にもなっている。劇中では加藤登紀子自作の「時代おくれの酒場」が主題歌になっているが、この歌を高倉健が歌ったのも話題になった。

ところで、居酒屋の亭主役を演じながら、高倉健自身は、晩年までほとんど酒を飲まなかった。若い頃は、焼酎をよく飲んでいたらしいが、断酒の事情には、様々な説がある。梅宮辰夫の証言によれば、タクシー運転手を酔って殴ってしまい、このまま飲み続ければ酒乱になるのではないかと本人が自戒したらしいという話と、やはり学生時代のボクシング部の友人が酒を飲んで不祥事を起こしてしまい、それを傍で見ていた健さんが「酒の勢いで不祥事を起こすぐらいなら、今後一切酒は飲まない」と決心したという説もある。いずれにしても「飲めない」ではなく「飲まない」。

スターになってからの健さんは「一日に50杯のコーヒーを飲む」といわれるほどのコーヒー党として知られる。中でも、苦味の強いダークローストのコーヒーが、お気に入り。ケーキなどが好物で大の甘党だったからか、甘いものに調和する苦味のある濃いコーヒーが好みだったとか。映画の撮影現場でも、自らポットに入れたコーヒーを常備し、周囲に進めていたのは有名なエピソードだ。

ソウル・オブ・ワイン

作品データ

「ソウル・オブ・ワイン」（2019　フランス）　監督／マリー・アンジュ・ゴルバネフスキー　撮影／エルヴィール・ブルジョア、フィリップ・ブレロ　編集／フレデリック・ボネ／ドキュメンタリー（102 分）

ワインの世界は奥深い。筆者の周囲にも自他共にワイン通を自認する人々は、少なからず存在するが、そうした人々に向けてかどうか、ワインについての映画が何本か劇場公開されている。もはや一時期ほどの隆盛は過ぎ去ったようだが、ボジョレーヌーヴォーの解禁に合わせてかどうかは分からないが。

近年では、流通の裏事情まで捉えたドキュメンタリー「世界一美しいボルドーの秘密」（13）や、ワイン発祥の地とされるジョージアで伝統のワイン造りを守り続ける人々を描いた「ジョージア・ワインが生まれるところ」（18）などが記憶に新しいが、この「ソウル・オブ・ワイン」（19）は、ワイン愛好家の聖地、フランス、ブルゴーニュ地方が舞台。ロマネ＝コンティを始め世界最高峰のワインを生み出す〝神に愛された土地〟で、ワイン造りに全てを注ぐ人々を描いたドキュメンタリーだ。

ナレーションは一切なく、解説も必要最小限。面白いのは、マリー・アンジュ・ゴルバネフスキー監督が、ワインの専門家でも愛好家でもなく「ワインは飲んでいましたが、この映画に出てくるようなワインは一度も飲んだことがありませんでした。グラン・ヴァン（偉大なワイン）が何かも知りませんでした」と、インタビューで答えていることだ。

大のワイン愛好家たちとの出会いで、この映画を撮ることになったようだが、もともと美術史を学んできた彼女は、ブルゴーニュの歴史、そして芸術とのつながりを意識してアプローチしている。直接には明示されないが、ブルゴーニュ公の宮廷画家だった初期フランドル派ヤン・ファン・エイクやファン・デル・ウェイデンらのルネサンス絵画への興味から始まっているだけに、そうした文化を踏まえたうえでのワイン生産者たちへの謙虚な視線が、映画の底流にあるのだろう。ブルゴーニュ地方の美しい自然の中で、冬から春、収穫期を経て、ワインが熟成するまでの日常が淡々と描かれている。ロマネ＝コンティ、ジュヴレ・シャンベルタン、ジャンポール・ミュジニー、ムルソー・ヴォルネイといった名だたる畑を守る生産者たちが、ワインとテロワール（土壌や生育環境）について語り、最高級のワインが生まれるプロセスに案内してくれる件《くだり》は、ワイン通ならずとも衿を正したくなるし、ロマネ＝コンティの貯蔵庫で樽に蒸発していく「天使の取り分」を充填する作業などは、ことに印象深い。

また、クライマックスには、日本人のオーナー・ソムリエ、石塚秀哉氏と、オーナー・シェフ、手島竜司氏が登場し、ふたりはシャンボール・ミュジニー、レ・ザムルーズ・ジョルジュ・ルーミエ1945を味わう幸運に恵まれる。ワインと言う飲み物の真髄に触れる映画だが、ベルナール・ノブレ（醸造責任者）の「瓶に詰められたワインは新しい人生を始める。ただし何の喜びもない人生だ。コルクで栓をした瓶はまるで牢獄だ。だからワインは怒っているんだ。何年か経って牢獄を受け入れ、調和の中で老いていく。古いワインを試飲すると、いつもその穏やかさに衝撃を受ける。何年もの間、瓶の中で瞑想していたようだ。肉体は消えてしまい、魂だけが残っている」という言葉は、それ自体が一篇の詩のように、こちらの耳に心地よく響く。

「ソウル・オブ・ワイン」と同時期に、「戦地で生まれた奇跡のレバノンワイン」(20) というドキュメンタリーも公開される。レバノンワインの起源は5千年前（一説には7千年前）とされているようだが、現在も約50のワイナリーが点在する世界最古のワイン産地として知られている。戦争や飢餓、経済破綻、そして新型コロナウィルスの大流行という数々の困難に遭いながら、黙々とワイン造りを続ける人々——例えば内戦中にワイン造りを始めた修道院の神父、レバノンのみならず内戦下のシリアでもワイン造りを続ける兄弟、11歳から銃の扱い方を教えられ、父の遺志でワイナリーを受け継いだ女性の証言からは、ワインを通じた世界の広がりを教えられる。

さらに、日本のワインの醸造家安蔵光弘を描いた伝記映画「シグナチャー～日本を世界の銘醸地に～」も公開される。ワインを造りたいという夢を叶えるために、シャトーメルシャンに入社した安蔵の苦闘の劇映画だ。そして、日本国内にワイナリーが増え、世界的な評価を受ける一方で、日本でワインが造られていることじたい、国内では、あまり認識されていない現状を打破すべく「ヴァン・ジャポネ」というドキュメンタリーも登場する。

チーム・ジンバブエのソムリエたち

作品データ

「チーム・ジンバブエのソムリエたち」（2021 オーストラリア） 監督／ワーウィック・ロス＆ロバート・コー　撮影／スコット・ムンロ、マーティン・マクグラス（96分）

ワインの映画が続けざまに公開されている昨今だが、何とワインの生産と消費量は、ほとんどゼロの国からワイン通を唸らせるドキュメンタリーが現れた。これがもう無類の面白さ！

アフリカ南部にあるジンバブエは、２００８年、深刻な経済危機に陥り、大量の難民が隣国南アフリカに流入した。ケープタウンにある最高級のレストランで、それぞれ働き、祖国に仕送りしていた若者たちが、初めてワインを飲み、その魅力に開眼。ソムリエの指導を受けて、２０１７年にフランス・ブルゴーニュで開催された「世界ブラインドワイン・テイスティング選手権」にチームで参加することになる。チーム全員が難民で、かつ黒人メンバーは、大会史上初めてのこと。故郷ジンバブエの威信をかけて大会に乗り込むのは、ジョゼフ、ティナシェ、パードン、マールヴィンの４人。それぞれ異色の経歴を持つ彼らを迎え撃つのは、〝神の舌を持つ〟23カ国の一流ソムリエたち。ワイン大国であるフランスをはじめ、先進国の白人が多数を占めるスノッブな世界で、さて彼らはどう戦うのか。

そもそも「ブラインド・テイスティング」とは、目隠しをしてワインを試飲し、品種、収穫年、銘柄などをあて、総合点を競うもので、ワイン商やソムリエなどのプロが、買い付けやサービスに際して、事前の情報なしにワインの品質を評価する手法として始まった。

「世界ブラインドワイン・テイスティング選手権」は、２０１３年、フランスで最も影響力のあるワイン雑誌「ラ・ルヴュ・デュ・ヴァン・ド・フランス」（１９７２年創刊）の主催で始まり、従来のソムリエ・コンクールとは異なり、各国のチームワークが求められる。4人の選手とコーチ一人が、白と赤計12ワインの主要品種、生産国、ヴィンテージ（収穫年）を特定しなければならない。まさに「ワイン・テイスティングのオリンピック」として注目されている。

対象は世界中のワイン。プレスシート（作品資料）にある、ワインジャーナリスト、山本昭彦氏の文章によれば「赤ワインの代表品種カベルネ・ソーヴィニヨンで造られたワインが出品されたとしても、必ずしもボルドーとは限らない。カリフォルニアのナパヴァレーなら、アルコール度が高く、凝縮度が強い。オーストラリアなら、シラーズとブレンドされてスパイシーな風味が加わる」とか。「白ワインはスイスのシャスラー、赤ワインはレバノンのカベルネ・ソーヴィニヨンなど、トップソムリエたちも容易に当てられない難問が用意されている」とも。この激戦に4人はどう挑むのか。

〝チーム・ジンバブエ〟のキャプテンは、ジョゼフ。価格統制の影響で混乱し、停電と断水が頻発、各地でコレラが流行したジンバブエから、家族と共に貨物列車で南アフリカに密入国。誕生日のパーティーで初めて飲んだスパークリングワインに感動し、ウェイターからソムリエへの道を歩み、ケープタウン屈指のレストラン「ラ・コロンブ」で、ヘッドソムリエを務める苦労人だ。ティナシェも、2008年、友人と共に南アフリカに逃れてきたが、当初ワインは赤と白しか知らなかったほど。やがてワインの魅力にめざめ、南アフリカで6年連続トップに選ばれ、世界のレストラン50に常連ランキングされる「ザ・テスト・キッチン」で、シェフソムリエを務める達人だ。パードンは、レストランでジョゼフに出会い、彼が客にワインを説明する様子を見て興味を持ったが、それまでワインを口にしたこともなかったというのに、今や南アフリカで大人気のレストラン「オーベルジーヌ」でソムリエを務めるほどの実力派。そして、マールヴィンは、キリスト教ペンテコスタ派の敬虔な信者である両親に育てられアルコールは厳禁の宗派だったが、4年前にワインに出会い、聖書のヨハネの福音書にある「キリストは最初奇跡で水をワインに変えた」という記述を独自に解釈し、高級リゾート「ケープ・グレイス・ホテル」で、ヘッドソムリエを務めるまでになった。

この4人がタッグを組み、クラウドファンディングで旅費、滞在費などを集め、ワインの聖地に乗り込むが、低予算で雇ったコーチは久しぶりの晴れ舞台に興奮して、大暴走。結果は見てのお楽しみです。この映画を見て誰しも思い出すのは、やはり実話を基にした劇映画「クール・ランニング」(93)だ。南国ジャマイカの陸上選手3人が、北国のスポーツ、ボブスレーに挑み、1988年カルガリーで開催された冬季オリンピックに出場する快作で、世界中で大ヒットした。この「チーム・ジンバブエのソムリエたち」も、ドキュメンタリーだが、劇映画になっても通用するほどの限界突破の面白さで、そうなる可能性は大きいと断言しておきたい。

シェルブールの雨傘

作品データ

「シェルブールの雨傘」（1964　フランス・西ドイツ）監督、脚本、作詞／ジャック・ドゥミ　作曲／ミッシェル・ルグラン　主演／カトリーヌ・ドヌーヴ、ニーノ・カステルヌオーヴォ、マルク・ミシェル（92分）

映画史上、様々な形でミュージカルが作られたが、「シェルブールの雨傘」（64）は当時としては画期的な実験ミュージカルとして大評判になった。それまでのミュージカルは、歌と音楽に台詞がついていたが、この映画の登場人物の台詞には、すべて音符がついていて、語るように歌われていたのだ。全篇、歌となるとオペラになるが、この映画ではオペラのように荘重な形ではなく、登場人物がごく自然に日常会話として歌っているのだ。

もちろん、公開当時には賛否両論の嵐になったが、フランソワ・トリュフォー監督は、後年、レイ・ブラッドベリ原作「華氏４５１」（66）の撮影日記（邦訳「ある映画の物語」86／草思社刊）の中で、「『シェルブールの雨傘』式のＳＦ」という表現で、この映画にエールを送っている。つまり、トリュフォーは、「ごく正常な物語の中で、人々が普通に話すかわりに歌っている」「それがＳＦなのだ」と喝破している。トリュフォー自身、「シェルブールの雨傘」の熱烈な支持者で、「華氏４５１」の撮影中には、「シェルブールの雨傘」の主題歌をよく口ずさんでいたという。

「ローラ」（60）「天使の入江」（62）に続く長編映画第3作目として、ジャック・ドゥミ監督は、この映画の構想を数年来温めていたが、あまりに大胆な手法ゆえに映画会社からは敬遠されていた。ドゥミ監督自身、「オペラが大好きで、特にヴェルディの『椿姫』を愛してやまず」「オペラを演出することが昔からの夢だった」「それを舞台ではなく、現代的な映画で、つまり、オペラの夢と映画の夢を自分なりに合流させ、一体化したものを」（ＤＶＤ特典リーフレット、１９７８年9月、山田宏一氏によるインタビューより）と語っている。

プロデューサーを務めたマグ・ボダール女史は、映画の製作資金を集めるために奔走し、「私がパリで会いに行った配給会社は、どこも出資を断わって、それは気違い沙汰だと私に言いました。ある人たちは、それをモノクロで歌なしでやってみたいと考え、また別の人たちは、われわれが16ミリで15分のパイロット版をつくることを望み……事態はこの上なく混迷したのですが」『ついに私はフォックス社から配給契約の前金として29万フランを手に入れ』「残りは、一部はドイツから、一部は収入の前金として見つけてきました」（ジャン＝ピエール・ベルトメ著「ジャック・ドゥミ／夢のルーツを探して」19／水声社刊）と、それ自体が一篇の映画として成立するほどの苦労を重ねたという。

こうして、傘屋の娘ジュヌヴィエーヴ（カトリーヌ・ドヌーヴ）と、自動車修理工の青年ギィ（ニーノ・カステルヌオーヴォ）の恋物語が生まれる。街角で色とりどりの雨傘が交差する魅惑的なオープニングから、幸せの絶頂にあるふたりを、ギィの召集令状が引き裂き、彼は戦地へ。身籠った彼女は、彼からの音信が途絶えたことで死んだものと思い、事情を承知している金持ちの宝石商と結婚する。復員したギィは、彼女の結婚を知って自暴自棄になるが、幼なじみの娘と結婚する。数年後にガソリンスタンドで再会するふたり。過ぎた時間は戻らず、そのまま別れるふたりに、クリスマス・イヴの雪が降りつもる――という哀切なラストシーンは時を越えて感動を呼ぶ。

ところで、シェルブールがあるノルマンディー地方は、りんごの発泡酒シードルの産地として有名。

映画では傘屋のダイニングでの食事のシーンで、野菜サラダにパン、赤ワインとミネラルウォーターというシンプルなメニューに、シードルも片隅に置かれていると見たのは、こちらの思い入れゆえか。ワインもシードルも、ノルマンディーでは水代わりのはずで、ことさら強調せずとも、映画の中では当然の風景なのかもしれない。

カトリーヌ・ドヌーヴは、この映画に出演した時は、まだ19歳。19歳とは、とても思えないほどの完成された美貌だが、実生活ではロジェ・ヴァディム監督との愛の生活を経て、未婚のまま１９６３年6月に男の子を出産する。しかも結局、ヴァディム監督と別れることになり、撮影時、精神的には最も辛い時期だったという。そうした事情も愁いに満ちた彼女の表情に色濃く反映しているのかもしれない。映画は興行的にも大ヒットし、64年度のカンヌ国際映画祭ではグランプリを、同年のルイ・デリュック賞も受賞する。

ドヌーヴ自身、この映画で女優業に開眼したといい、以後、ドゥミ監督とのコンビで「ロシュフォールの恋人たち」(66)、「ロバと王女」(70)、「モン・パリ」(73)と次々に愛すべき作品が送り出されることになる。ヌーヴェルヴァーグの作品の中では異色の存在だったが、その作品群は今でも光り輝く。

ロング・グッドバイ

作品データ

「ロング・グッドバイ」(1973　アメリカ)　監督／ロバート・アルトマン　原作／レイモンド・チャンドラー　脚本／リー・ブラケット　主演／エリオット・グールド、ニーナ・バン・パラント (113分)

「M★A★S★H／マッシュ」（70）や、「ザ・プレイヤー」（92）、「ショート・カッツ」（93）などで知られる映画界きっての異端児ロバート・アルトマン監督の作品が、全国で上映されている。未ソフト化、未配信の「雨にぬれた舗道」（69）と劇場初公開の「イメージズ」、そして公開50周年記念上映の「ロング・グッドバイ」（73）だ。50周年！　もう、そんなになるのか。

レイモンド・チャンドラーの小説の主人公である探偵フィリップ・マーロウは、ダシール・ハミットが生み出したサム・スペードと並ぶアメリカのミステリー史上、2大名探偵として知られている。特に「ロング・グッドバイ」は、1995年のアメリカ探偵作家クラブによるベスト100では、13位に選出。マーロウが主人公の「大いなる眠り」も8位に、「さらば愛しき女よ」も21位に選ばれ、日本でもハヤカワミステリーベスト100にランクインしている傑作だ。日本では清水俊二訳で「長いお別れ」として刊行されていたが、2007年に村上春樹の新訳（と同時に完訳）で発売されて、大きな反響を呼んだ。村上氏は「カラマーゾフの兄弟」「グレート・ギャツビー」と並んで、自身が最も影響を受けた作品として、「ロング・グッドバイ」を挙げているだけに、入魂の翻訳だった。

マーロウは、友人テリー・レノックスが妻を殺害し、その逃亡を幇助《ほうじょ》した容疑で警察に拉致されるも、突然釈放されるわ、失踪したベストセラー作家の捜査の依頼を受けるわ、奇妙な人々に振り回されていくのだが、その中で印象的なのは、テリーの残した手紙に「ギムレットを忘れるな」という名セリフがあったことだ。嗜好品という意味では最適だと思い、本欄に書くことにしたのだが、久しぶりに映画を見直すと、何と、そんなセリフはどこにも出てこない。村上版では、「こっちには本当のギムレットの作り方を知っている人間はいない。」「ライムかレモンのジュースとジンを混ぜて、そこに砂糖をちょいと加えてビターをたらせば、ギムレットができると思っている。本当のギムレットというのは、ジンを半分とローズ社のライム・ジュースを半分混ぜるんだ。それだけ。こいつを飲むとマティーニなんて味気なく思える」と丁寧に解説されているのだが。肝心の「ギムレットを忘れるな」の件《くだり》も、「事件のことも僕のことも忘れてしまってほしい。ただその前に〈ヴィクターズ〉に行ってギムレットを注文してくれ」となっている。原作の印象、ことに村上版を読んで、映画もそうだったかと、こちらで勝手に記憶を上書きしたのだろうか。

だが、映画の公開当時は、結末を大改変したこともあって、賛否両論どころか、非難轟々の嵐だった。マーロウについて「生命の尊さなど一顧だにされず、友情や義理のたぐいが無意味なものとなった自分本位の世の中でさまよう、道義をわきまえた寛大な男」として、アルトマンは定義しているが、それなら尚更ギムレットの件は不可欠ではなかったのだろうか。脚本を執筆したのは、SF作家としても有名なリー・ブラケットで、彼女は脚本家としてのデビュー作が、チャンドラー原作の「三つ数えろ」(46)だったことから、アルトマンは再構築を依頼したそうだが、他にも原作の重要なエピソードを捨て、換骨奪胎《かんこつだったい》している。だが、歳月を経て「ロング・グッドバイ」は、カルト映画として愛され、原作の持つムードを最も濃厚に漂わせていると評価されるようになった。腹を空かせた愛猫に夜中に起こされ、キャットフードを買いに出かけたりする飄々としたマーロウのキャラクターは、半世紀の時を越え、身近な存在として、こちらに迫ってくる。

ギムレットの代わりと言っては何だが、この映画のマーロウは、実によくたばこを吸う。登場場面では常にたばこを手にしていると言っても過言ではない。また、マッチを擦る時の仕草がカッコイイったら、ありゃしない。「ロバート・アルトマン傑作選」のチラシのイラストや、スチール写真2点でも、マーロウはたばこを咥えているほどだ。ブラケットか、はたまたアルトマンの意図なのかは定かではないが、原作の鍵であるギムレットよりも、たばこのイメージに、マーロウを引き寄せようとしたのではないだろうか。

そして、リーアム・ニーソン主演「探偵マーロウ」(22)も見る機会があったが、ブッカー賞受賞作家ジョン・バンヴィルが、ミステリーを手がける際の〝ベンジャミン・ブラック〟名義で書いた「黒い瞳のブロンド」が原作。「ロング・グッドバイ」の続編として本家の公認を受けたそうで、世間のマーロウ熱は、まだまだ続く。

風と共に去りぬ

作品データ

「風と共に去りぬ」(1939　アメリカ)　監督/ビクター・フレミング　原作/マーガレット・ミッチェル　主演/ビビアン・リー、クラーク・ゲーブル、レスリー・ハワード、オリビア・デ・ハビランド(231分)

奴隷制度が残る南北戦争下のジョージア州アトランタを舞台に、気性の激しい南部の女性スカーレット・オハラの半生を壮大なスケールで描いたマーガレット・ミッチェルの原作小説が出版されたのは、１９３６年6月。その日のうちに5万部、そして、その年のうちに１００万部を超える大ベストセラーとなった。現在でも広く読み継がれ、最近でも林真理子が、一人称小説「私はスカーレット」として甦らせ、大きな話題となっている。

独立プロデューサーのデビッド・O・セルズニックは、関係者からの勧めもあり、書店に本が並ぶ以前の校正刷りの段階で、映画化権を5万ドルで手に入れた。クレジットタイトルに名前が唯一残る脚本家シドニー・ハワードの手で１９３６年末に脚本は完成したものの、セルズニックの完璧主義は、とどまることを知らず、ベン・ヘクトや、スコット・フィッツジェラルド（「グレート・ギャツビー」の原作者）など延べ18名の書き手が動員され、準備段階だけで40万ドルが費やされたという。

スカーレット役のオーディションには、自薦他薦、５００人もの女優が参加し、ベティ・デイビス、キャサリン・ヘップバーン、ポーレット・ゴダード、ジョーン・クロフォード、ラナ・ターナー、ジーン・アーサー、ミリアム・ホプキンス、バーバラ・スタンウィックらが有力視されたが、彼女たちのテストフィルムが全て現存しているというのも、すごい。（その一部はＤＶＤ特典に収録されている）。

レット・バトラー役には、ゲイリー・クーパー、エロール・フリン、ロナルド・コールマンなどの候補者の名前が挙がったが、関係者全員は、MGMのトップスター、クラーク・ゲーブルを推した。だがゲーブルはMGMの専属であり、セルズニックはユナイトと契約していた。そこでユナイトと契約が切れる1939年の末まで公開を延ばし、MGMと配給契約を結んだ段階で、ゲーブルを獲得した。

スカーレット役が決まらぬまま撮影は見切り発車した。イギリスに滞在していた女優ビビアン・リーは原作を読み、生き方が似ている自分こそスカーレット役だと確信していた。当時の彼女の愛人ローレンス・オリビエが「嵐が丘」(39)に主演し、彼に会いたさに彼女はハリウッドにやってくる。偶然にもオリビエのエージェントは、セルズニックの兄マリオンだった。アトランタ炎上の撮影日、1938年12月10日夜、スカーレットそのままに、つばの広い帽子を被ったビビアン・リーが現れ、マリオンは弟に「スカーレットを紹介しよう」と言い、数日後のスクリーンテストで彼女に決定。こうして、映画史上、永遠のヒロインが誕生する。

だが撮影現場は大混乱していた。ゲーブルもアシュレイ役のレスリー・ハワードも出演に乗り気ではなく、セルズミックはレスリーを出演させるために、プロデューサーになるという彼の夢を叶えることを約束し、レスリーは原作も読まず、他の俳優のセリフにも一切目を通さず、自分のセリフだけを覚えた。

ゲーブルも、ジョージ・キューカー監督が女優ばかり大事にすると不満をもらして、その演出に文句をつけた。最初の10日間で23分しか撮れず、そのうち10分は撮り直す必要があり、撮影は難航。ゲーブルの抗議もあって、キューカーは降板する。代打として「テスト・パイロット」（38）や「オズの魔法使」（39）のビクター・フレミング監督が呼ばれ、細かいことに拘らず、撮影をどんどん進めるフレミングとゲーブルの相性は良かったが、女優陣からは敬遠され、ついにビビアンとフレミングは大喧嘩になる。フレミングもノイローゼとなって降板し、新たにサム・ウッド監督が起用されたが、後半はフレミングが復帰し、共同で担当。結局、フレミングのみがクレジットタイトルに残ることになった。

撮影中のトラブルは他にも無数にあったが、制作費４５０万ドル（一説には６００万ドル）をかけ、上映時間３時間51分の、この空前の超大作は世界的に大ヒット。作品、監督、主演女優、助演女優賞など、アカデミー賞10部門を制覇し、映画史に燦然と輝く名作として評価されている。日本では、アメリカで公開されてから13年後の１９５２年に漸く公開された。

ところで劇中で、スカーレットが父（トーマス・ミッチェル）の形見ともいうべき、マデイラ・ワインを飲む場面があるが、このマデイラ・ワインは、ポルトガルのポート、スペインのシェリーと並ぶ世界３大酒精強化ワインのひとつ。特殊な製法で、数百年前に作られたものは、現在でも数多く残っており、今でも美味しく飲めるらしい。彼女が、このワインを一気に飲み干すことで、南部の凋落が象徴的に描かれていることに注目したい。

小早川家の秋

作品データ

「小早川家の秋」(1961 日本) 監督・脚本/小津安二郎 脚本/野田高梧 撮影/中井朝一音楽/黛敏郎 主演/中村鴈治郎、原節子、新珠三千代、司葉子、小林桂樹、宝田明、杉村春子、森繁久彌、笠智衆(103分)

２０２３年は小津安二郎監督生誕１２０周年であり、東京国際映画祭と国立映画アーカイブの共催で大規模な特集上映が行われた。ちなみに小津監督は還暦の歳の誕生日に亡くなっているので、同時に没後60周年でもある。作風同様に、まるで定規で測ったような人生だ。

私が初めて小津作品を集中的に見たのは、京橋フィルムセンター（現・国立映画アーカイブ）で76年に開催された「小津安二郎特集」だったが、この時は低い位置にカメラを置いたローアングルや、独特なセリフ回し、編集のリズムに目を見張ったものの、もうひとつ、その魅力が理解できず、それから長い間距離を置いていた。転機になったのは、30代も半ばを過ぎた頃だ。たまたま部屋を片付けていて、ＢＧＭがわりに「東京物語」（53）のビデオを流しっぱなしにしていたのだが、その時、不意に衝撃に襲われた。画面を見ずに、セリフを聞いていただけなのに。それを言葉でうまく表すことはできないが、あ！　これかと、分かったのだ。やっと小津作品を受け止められる年齢になったのかもしれない。

小津作品では、小料理屋やバーなどで気の合った仲間が酒を飲みながら談笑する場面が、しばしば登場する。「晩春」（49）でも「秋日和」（60）でも「秋刀魚の味」（62）でも。

中でも「彼岸花」（58）での、サラリーマンが行きつけのバーで「いつもの、普通の、国産の、安い」水割りを注文する場面が印象的だが、今回なぜ「小早川家の秋」（61）なのか。

「小早川家の秋」の舞台は、京都伏見の造り酒屋で、小早川万兵衛（中村鴈治郎《がんじろう》）の老いらくの恋と、その姿を軸に描いた家庭劇の大作だが、彼がキャビアをつまみに酒を飲む場面がなんとも粋で、さすが終生酒を愛した小津監督ならではの趣向だと感心したからだ。

小津監督自身が特に好んだのは蓼科の地酒「ダイヤ菊」で、その日記には「まことに豊潤、天の美禄たり。いささか鄙びたる味ありて、一盞《いっさん》傾けるに羽化登仙《うかとうせん》、二盞、三盞、深酌高唱に至る」という記述もある。「ダイヤ菊」は最高の宝石ダイヤモンドと、日本の名花である菊を組み合わせ、最高の酒をめざして命名された。熱燗で飲むのが好みで、温度は55度と決めていたという。

松竹がホームグラウンドである小津監督にとっては、新東宝の「宗方姉妹」（50）、大映の「浮草」（59）に続く3度目の他社作品。前作「秋日和」で、当時東宝の専属だった司葉子が、松竹作品に出演したことの見返りとして東宝で撮ることになったというのが通説になっていたが、実際は小津の大ファンだった藤本真澄プロデューサーら東宝首脳陣が、「ぜひ東宝でも一本」と熱望し招聘したらしい。五社協定が厳しかった時代に、小津監督のような松竹を代表する巨匠が、他社の東宝で映画を撮るのは、極めて異例のことだった。

万全の体制で小津監督を迎えるべく、笠智衆《りゅうちしゅう》、杉村春子ら常連に加えて、小林桂樹《けいじゅ》、宝田明、新珠《あらたま》三千代《みちよ》、団令子、白川由美、加東大介、森繁久彌、藤木悠、山茶《さざん》花究《かきゅう》ら東宝のスターたちが総出演。東宝にとっては、小津作品への出演で、従来とは異なるイメージを引き出してもらおうという目算もあったようだ。製作自体は東宝傘下の旧宝塚映画で行われ、宝塚映画創立10周年記念映画として作られた。

小津監督は、小林桂樹、加東大介、団令子、藤木悠が気に入り、特に新珠三千代には「松竹で作る次回作に出演してくれ」と懇願したほどだったが、残念ながら、それは実現しなかった。反面、森繁久彌、山茶花究らアドリブ芝居を得意とする俳優たちとの相性は悪く、特に森繁は小津をへこましてやろうという闘争心を剥き出しにして、小津の宿を訪れ、「5秒、10秒のカットばかり並べて撮るのは、役者を信用できないからでしょう」と抗議し、劇中で競輪のシーンが登場するが「小津に競輪なんか、うまく撮れっこない」と言ったエピソードが残されている。小津は扱いづらい俳優と仕事をする場合、根気よく説得するのではなく、やや突き放して冷淡に接したといわれるので、それが裏目に出たのだろう。

鴈治郎扮する万兵衛には、モデルがある。伏見の酒造「増田徳兵衛商店」の主人、12代目増田徳兵衛が、その人で、1954年、小津が脚本家の野田高梧、作家の里見弴と共に伊勢、志摩、大阪、京都を巡る旅行をした時に案内役を務めた。増田徳兵衛商店は「月の桂」というにごり酒の蔵元で、「月の桂」は作家の永井荷風、谷崎潤一郎、瀬戸内寂聴や、映画監督の黒澤明らに愛され「文人の酒」として知られていた。私は下戸だが（おそらく）「月の桂」にキャビアの取り合わせは、なんとも美味しそうだ。

BAD LANDS バッド・ランズ

作品データ

「BAD LANDS バッド・ランズ」（2023　日本）
監督・脚本／原田眞人　原作／黒川博行　主演／安藤サクラ、山田涼介、生瀬勝久、宇崎竜童、吉原光夫、サリngROCK、江口のりこ、大場泰正、天童よしみ（143分）

直木賞作家・黒川博行氏が2015年に発表した小説「勁草」、高齢者をターゲットにした特殊詐欺――俗に言うオレオレ詐欺の世界を舞台に、加害者側である仕掛け人たちと、それらの犯行を追う大阪府警特殊詐欺班との攻防を描いた第一級のクライムノベルであり、刊行時から大きな評判になっていた。ちなみに題名の「勁草」とは、「風に強い草。節操、意志の強固なことのたとえ（広辞苑より）」であり、原作では、人間のしぶとさ、したたかさを表す言葉として使われたという。

「金融腐蝕列島・呪縛」（99）や「関ヶ原」（17）「燃えよ剣」（21）などで知られる原田眞人監督は、発売直後に原作本を読み、映画化を熱望したが、すでに映画化権は某社に渡っていた。それから辛抱強く6年待ち、漸く実現に漕ぎつけた。映画化に際しては、犯罪グループの元締めを補佐する立場の主人公、橋岡を男性から女性にチェンジ。それに合わせて、登場人物たちの設定も大幅に変更したが、原作に描かれていた膨大な情報量と、その世界観は忠実に生かされた上で、映画ならではの独自な味わいを持つ快作に仕上がった。犯罪は社会を映す鏡というが、原田監督は、フィルム・ノワール的な要素を導入し、息づまるサスペンスを醸し出すことに成功したのだ。

何より、ヒロインの主人公、ネリを演じた安藤サクラの、その佇いが素晴らしくカッコイイ。何気なくジャケットを羽織ったり、キャップを被ったりする仕草が、いちいち様になっている。役名であるネリという名前は、ドストエフスキーの「虐げられた人々」の登場人物から採られ、彼女の魂の彷徨が映画にも微妙な形で投影されている。さらにネリの相棒である弟ジョー役の山田涼介、グループの胴元、高城役の生瀬勝久、映画オリジナルである元ヤクザの曼荼羅役、宇崎竜童、そして裏賭博の帳付、林田役は、この映画でデビューした舞台俳優であり脚本家のサリngROCK。彼女の存在感に圧倒され、関西演劇界の底力を痛感させられる。

ところで、劇中で印象的だったのが、胴元の高城が愛飲していたスピリタスというウォッカの一種。彼がスピリタスを飲もうとすると、ネリが「火気厳禁やないですか」と、傍の石油ストーブを遠ざける場面があり、調べてみると、成程そうかと納得させられた。

ポーランドを原産地とするスピリタスは2011年時点で、アルコール度数96度という世界最高の純度を誇る酒として知られている。その純度ゆえに、成分のほとんどが純粋なエタノールであり、たばこや線香の火程度でも簡単に引火してしまうのだ。日本では、消防法の第4類危険物に該当し、灯油やガソリンと同じ程度の厳重な管理が必要とされる。1920年代からの長い歴史を持ち、ポーランドでは国営の消毒剤としても指定されているほどだ。

主原料は穀物とジャガイモであり、一切加工を行わず、濾過した上で、70回以上もの蒸留を繰り返し、世界最強の酒となるが、ポーランド国内でも、ストレートで飲む人は滅多にいないとか。イチゴやゆず、オレンジなどの柑橘系フルーツを混ぜ、消毒した保存瓶に入れ、冷蔵庫で保存し、ガツンとしたアルコール感のある果実酒として飲まれることが多いようだ。また「スクリュードライバー」や「ウォッカトニック」などウォッカを使用したカクテルと相性もいいらしい。

一気に飲むと「口から火が出るような感じ」「強烈な痛みさえ覚える」といわれる。酒好きの人間でさえ、急性アルコール中毒になる可能性があり、最悪の場合、生命の危険もあるというから、素人は手を出さない方がいいとまでいわれている。劇中では、ネリや高城は、これをストレートで飲んでいるようだから、彼らのキャラクターを象徴する、まさに絶妙な小道具として使われている。

たばこやライターから、スピリタスに引火した事故の例は、世界中でも数多く、服にスピリタスがこぼれていたことに気がつかず、たばこを吸おうとして洋服に燃え移り、大火傷を追ってしまったケースもあり、スピリタスを飲む時には絶対に火の気があるところにグラスを置いては、いけません。

スピリタスの瓶が空になり、ネリが蔵出しに行った時に、惨劇が起こってしまうのだが、通常の倉庫に並べられているのが、少し気になった。スピリタスは、冷蔵庫や冷凍庫で保存するのがベストだとされている。凍ってしまわないかって？　アルコール度数が、あまりに高いので、冷凍庫で保管しても凍ったりはしないそうだ。

映画オリジナルの重要な小道具として、スピリタスはラスト近くで武器としても使われている。安藤サクラ演じるネリは、映画史上最も魅力的でアクティブなヒロインとして光り輝いているが、スピリタスがその一助になっていることは間違いない。闇の世界から脱出し、疾走するネリの姿の中に、日本映画の未来を感じる。

ドランクモンキー・酔拳

作品データ

「ドランクモンキー・酔拳」(1978　香港) 監督／ユエン・ウーピン　脚本／ウー・シーユエン　撮影／チャン・ハイ　主演／ジャッキー・チェン、ユエン・シャオティン、ディーン・セキ、ウォン・チェン・リー (111分)

1979年春、東映洋画宣伝室に契約社員として入社した筆者は、試写室で一本の映画を見せられた。これが「ドランクモンキー・酔拳」(78)。当時はまだジャッキー・チェンの映画は日本で一本も公開されておらず、無名の存在だった。武術道場主の息子でありながら、カンフーの修行もせずに遊んでばかりいる、ジャッキー扮するフェイを、父親がカンフーの達人の元に、修行に出す。酔えば酔うほど強くなるという秘伝〝酔八拳〟を、師匠から伝授されたフェイが、かつて侮辱を受けた悪漢たちに復讐するという単純といえば単純な物語で、見せ場は、やはり〝酔八拳〟のカンフー場面だった。

見れば滅茶苦茶面白いんだが、しかしなぁと、上司と共に頭を抱えたのは、当時の映画界の状況が作用している。ブルース・リーの「燃えよドラゴン」(73)が大ヒットして、カンフー映画の一大ブームが巻き起こり、生前のリー主演の映画「ドラゴン危機一髪」(71)、「ドラゴン怒りの鉄拳」「ドラゴンへの道」(共に72)が次から次へと公開され、それ以外にも大量のカンフー映画が、洪水のように世に溢れて、さすがに飽きられ、すっかりブームも下火になっていた。今更、カンフー映画と言われても、どう火をつけるのか困ってしまう。いくら現地でヒットしていたとしても、そう簡単に日本の映画ファンに受け入れられるとは、とても思えなかった。

しかも、当時の香港映画には宣伝素材が全く何もなかった。ポスターも現地のものは、あまりにも泥臭く、日本向けに作らざるを得ないが、スチール写真は粒子が荒く、およそ使えない。「ドランクモンキー」というタイトルにかけて、「ルパン三世」の原作者であるモンキー・パンチに映画を見てもらったところ、幸い面白がってくれたので、「酔拳」以降、「スネーキーモンキー・蛇拳」(78)、「クレージーモンキー・笑拳」(79)のポスター及びヴィジュアルデザインは、モンキー・パンチのイラストで統一することになり、この辺りから、どうにかなるのかという兆しがが見えてきた。

ただ、試写を始めても、面白いと言ってくれたのは、ブルース・リー関連の著作も多かった映画評論家の日野康一氏と、極真空手の門下生でもあった硬派の評論家・平岡正明氏ぐらいで、香港映画の事情に詳しい映画評論家やジャーナリストの方々からはほとんど相手にされず、中には「ふざけてる」と怒り出す方までいた。「ふざけてる」と言われても、コメディなんですけど……。

「トラック野郎・熱風5000キロ」(79)との2本立てで、8月4日から邦画番線で公開されることになった。当時は洋画系以外は、2本立て公開が当たり前だった。宣伝に奔走している最中、1時間51分では興行的に長すぎるから、冒頭の10分をカットすると言われた時には唖然とした。「そんなこと、してもいいんですか」と言うと、「いいんだよ」のひと言で、映画界は何とも大らかな時代だったのだ。しかし、丸の内東映パラス、新宿東急、渋谷東急レックスの洋画系チェーンで公開されていたドキュメンタリー映画「北壁に舞う」(79)がコケてしまい、急遽劇場に空きができたことから、7月21日から8月3日まで単独先行公開することになった。こんなことならカットしなくても良かったのに……というのは、後の祭りで、しばらくは100分バージョンが上映され、ビデオもそうだったが、ＤＶＤは１１１分に復元されて何よりでした。

ところで、なぜ〝酔拳〟なのか。プロデューサー兼脚本のウー・シーユエンは、前作「スネーキーモンキー・蛇拳」が現地でヒットし、祝賀パーティに参加した時、酔いながら踊る台湾人の姿を見て、「酔っ払いとカンフーをミックスできないか」と思いついた。パーティに同行していたユアン・ウーピン監督に相談したところ、「それはいい」ということになり、映画化がスタートした。

脚本執筆の段階では、すでに酔拳動作の試作コンセプトは、ほぼ出来上がり、事前に武術家を訪ねて酔拳を見学していたが、実際の酔拳と映画の中の酔拳は全く別物になったようだ。ジャッキー本人のアイデアも多く採用され、映画の中ではコメディ的要素も導入され、かなり誇張された形になったようだ。

師匠も弟子も、大いに酒を飲んで、カンフーの妙技を見せてくれるが、肝心の酒は、いったい何を飲んでいるのだろうか。これは日本公開時にも調べたが、結局分からず、中国では白酒、甜酒、辣酒、花酒、茶酒など、いろいろあるが、やっぱり紹興酒あたりなのかなぁ。気になるところですが、「ドランクモンキー・酔拳」以降、ジャッキー・チェンは快進撃を続け、「プロジェクトＡ」(83)、「ポリス・ストーリー　香港国際警察」(85)、「プロエクト・イーグル」(91)などで、世界に名を轟かすスターになった。律儀に「酔拳２」(94)を作ってくれた時は嬉しかったなぁ。

007／ロシアより愛をこめて

作品データ

「007／ロシアより愛をこめて」（1963　イギリス）
監督／テレンス・ヤング　原作／イアン・フレミング　主演／ショーン・コネリー、ダニエラ・ビアンキ、ロバート・ショウ、ロッテ・レーニャ

００７シリーズを最初に知ったのは、映画ではなく劇画からだった。60年代に発行されていた雑誌「ボーイズライフ」に、さいとう・たかを氏の劇画「００７」が連載されていて、その熱心な愛読者だった。「死ぬのは奴らだ」、「サンダーボール作戦」、「女王陛下の００７」、「黄金の銃を持つ男」の順に連載され、その面白さにつられて、劇場へ行き、初めて「００７／サンダーボール作戦」(65)を見た記憶がある。68年から始まる、さいとう氏の代表作「ゴルゴ13」は、この時の００７が原型になっているのではないだろうか。

その「サンダーボール作戦」に興奮して、なるほど、これが元ネタなのかと思ったが、そもそもの原作は57年に発表されたイアン・フレミングの小説だ。61年に当時のケネディ大統領の愛読書のひとつとして紹介されたことから、映画化の企画が立ち上がり、「ドクター・ノオ」を原作とする「００７は殺しの番号」(62)が１００万ドルの低予算で作られた。ジェームズ・ボンド役には、リチャード・バートン、ピーター・フィンチ、トレバー・ハワード、ケイリー・グラント、ジェームズ・メイスンらが候補にあがったが、脇役として何本かの映画に出演していた無名のショーン・コネリーが抜擢された。ギャラが安かったことと、「いかにもキンタマを持っているぞというふうなのがいい」というのが、ボンド役に選ばれた理由だった。

その第１作が、63年度イギリス映画興行収入第５位というヒットになったことから、続篇「ロシアより愛をこめて」が製作されることになった。第２作の製作費は前作の倍の２千万ドル、第３作

「ゴールドフィンガー」（64）を経て、第4作「サンダーボール作戦」では1千万ドルに跳ね上がり、以後、「ノー・タイム・トゥ・ダイ」（23）では、なんと2億5千万ドルに！　物価の時差があるとはいえ、もう言葉もありません。

原作では、ソ連の防諜機関スメルシュ対イギリス情報部という設定だったが、政治問題を避けるために、国際犯罪組織スペクターが、ソ連から新型暗号解読機を盗み出す、その盾としてイギリス情報部を利用する物語に変更された。だが、映画の作品内といえども、当時のソ連にとっては好ましくない描写もあるとして、91年のソ連崩壊まで、国内では007シリーズは上映禁止になっていた。

さて、ボンドとヒロインのタティアナ（ダニエラ・ビアンキ）、そして刺客のグラント（ロバート・ショウ）が、オリエント急行の食堂車で食事をする場面で、ボンドに接近し、3人は舌平目のムニエルを注文する。魚料理なので、ボンドとタティアナは、白ワインを注文するが、グラントはキャンティの赤を注文し、ここでボンドは彼のことを怪しいと思う。一般的に白ワインは酸味が強いので、淡白な魚料理に合うが、赤ワインは濃厚な味わいなので、肉料理に適しているのだ。肉料理には赤ワイン、魚料理には白ワインを注文するのが一般的なルールだというのを、イギリス人のくせに知らないのかと、ボンドは不審に思ったのだ。かく言う私も、最初に見た時は、まだ小僧だったので、そうしたディテールを見過ごしていたのだが、ここは結構、重要なポイントだったんですね。勉強になります。ホイチョイ・プロの人気漫画「見栄講座」でも、この件《くだり》は紹介されていたので、ご存知の方は多いかもしれません。

なお、この映画の64年の日本公開時の題名は「007／危機一発」。髪の毛1本の僅差で生じる危機的な状況を意味する「危機一髪」と銃弾の「一発」を引っ掛けた造語で、当時の配給元ユナイト映画の宣伝部に在籍していた水野晴郎氏の命名だったが、72年のリバイバル公開時に「007／ロシアより愛をこめて」と改題された。同時に第1作「007は殺しの番号」も「007／ドクター・ノオ」と改題されたが、いかに原題通りとはいえ、「007は殺しの番号」「007／危機一発」の方に愛着があり、未だに改題名に馴染めないのは、初期の007ブームが忘れられないからかもしれません。

半世紀を過ぎて、ショーン・コネリーも今は亡く、ジョージ・レーゼンビー、ロジャー・ムーア、ティモシー・ダルトン、ピアース・ブロスナン、ダニエル・クレイグと、これまでに6人のジェームズ・ボンドが活躍したけれど、「ノー・タイム・トゥ・ダイ」で、ボンドは、あんなことになってしまい、長年のファンとしては、戸惑うばかり。まぁ、今後もアナザーワールドとして作り続けられることを期待しています。

7代目の007には、「after sun アフターサン」(22)で、アカデミー主演男優賞にノミネートされたアイルランド出身の俳優、ポール・メスカルが最有力とされているらしいのですが、こればっかりは蓋を開けてみないと分かりませんからね。

5

Sweetな映画

甘いモノ編

チャーリーとチョコレート工場

作品データ

「チャーリーとチョコレート工場」（2005　アメリカ）監督／ティム・バートン　原作／ロアルド・ダール　脚本／ジョン・オーガスト　主演／ジョニー・デップ、フレディ・ハイモア、デビッド・ケリー、ヘレナ・ボナム・カーター、クリストファー・リー（115分）

チョコレートといえば、ハル・ベリーがアカデミー主演女優賞を受賞した「チョコレート」(01)という映画があるが、これはお菓子のチョコレートではなく、ヒロインの肌の色を指している。それよりは、おいしいチョコレートを売る母娘を描いた「ショコラ」(00)や、冒頭で「人生はチョコレートの箱と同じ。開けて見るまでは分からない」という「フォレスト・ガンプ 一期一会」(94)の方が本稿の趣旨に沿っているような気がします。もっとも、「フォレスト・ガンプ」の長い物語には、それ以後、あまりチョコレートは絡んでこないのですが。

ここはやはりジョニー・デップ主演のヒット作「チャーリーとチョコレート工場」(05)について書いてみたい。監督は「バットマン」(89)や「シザーハンズ」(90)のティム・バートン。「キス、キス」(60)や「あなたに似た人」(61)など幻想文学の作者として有名なロアルド・ダールの「チョコレート工場の秘密」(64)が原作。この人、映画「チキ・チキ・バン・バン」(68)や「007は二度死ぬ」(67)の脚本家でもあり、オスカー女優パトリシア・ニールの旦那様でもあったそうで、映画界とは何かと縁が深かった。

「チョコレート工場の秘密」は、もともと自分の子供たちのために作った物語で、チョコレート好きの子供たちが寝る前に話して聞かせていたのが、当の子供たちが大いに気に入り、何度もせがむので、本格的に執筆して刊行したとか。結果的には、それが子供向け図書のベストセラーになり、欧米では知らぬ者のない児童文学として、世界中で翻訳されダールの代表作になったという経緯のもの。

世界一のチョコレート工場を経営するウィリー・ウォンカ社長が作る不思議なチョコレートをめぐるお話。そのチョコレートは、とてもおいしいので、子供たちに大人気。ライバル会社が、フィルクグルーバー（溶けないアイス）や、プロドノーズ（味の消えないチョコ）、スラグワース（とてつもなく膨らむ風船ガム）などの秘密のレシピを盗もうと躍起になったので、ウォンカは工場を永久に閉鎖して、従業員も全員解雇してしまう。ところが工場は今まで以上にチョコレートを大量生産。

そして世界中から子供たちを5人、工場内部に招待し、そのうちのひとりに特別賞を用意すると発表したから大変だ。招待状であるゴールデンチケットは、板チョコの包み紙の下に隠されているので、世界中で争奪戦が起きるが、そのチケットを見事に当てたのが、貧しい一家の少年チャーリー。チャーリーと子供たちは工場の中で、デップ扮する奇人社長によって、次から次へと奇想天外な体験に遭遇。何より凄いのが、工場の中は何から何までチョコレートだらけ。最高級の熱いチョコが溶けて流れる川や滝、壁まで全てチョコレートの仕掛けに、ティム・バートンならではのダークなユーモアが炸裂して、観客もチョコレート一色に染まってしまいそう。しかも工場で働いているのは、未開のジャングルに住んでいた絶滅寸前の小さな人たち＝ウンパルンパの一族で、ほぼ全員同じような顔で歌いながら仕事をしているという有様。ここはCGをふんだんに使って、ミュージカルの見せ場にもなっています。

実は、この原作、1971年にも「夢のチョコレート工場」として劇映画化。日本では劇場未公開でしたが、DVDでは発売されているので、バートン版と見比べてみては、どうでしょう。ジーン・ワイルダー扮するウォンカも、デップとは別のアレンジがされ、ウンパルンパのキャラクターも、異なる味付けになっていて、なかなか楽しめます。実はこの71年版製作の段階で、チャーリーと一緒に工場見学に行く、おじいちゃんとチャーリーとの関係が原作よりも強められ、また他の四人の子供たちに付き添う親も二人から一人に減らされ、その分だけわかりやすい展開に脚色されたとか。バートン版でも、その設定が、ほぼ踏襲されていて興味深い。

2017年には、長編アニメーション「トムとジェリー・夢のチョコレート工場」もDVDダイレクトで製作。トムとジェリーが狂言回しで登場しますが、ロアルド・ダール原作と正式にクレジットされているだけあって、意外に原作に忠実に映像化されています。「チャーリーとチョコレート工場」の一作だけでは想像し難いけれど、この原作がいかにファンから愛されているかがよく分かります。

児童文学の不朽の名作として認められているのは、チャーリー少年の目を通して、大人になり切れないウィリー・ウォンカの孤独とおかしさ、そしてチャーリーの家族への思いが物語の中でしっかりと描かれているからでしょう。次から次へと出てくるユニークなチョコレートは、子供たちのみならず大人たちも夢中にさせますし、なんたって、どれもこれも、美味しそうだしね。

なお、前日談として「ウォンカとチョコレート工場のはじまり」(23)も製作されて、このシリーズ、まだまだ続きそうですね。

ノッティングヒルの洋菓子店

作品データ

「ノッティングヒルの洋菓子店」（2020　イギリス）監督／エリザ・シュローダー　主演／セリア・イムリー、シャノン・ターベット、シェリー・コン（98分）

洋菓子をめぐる映画といえば、例えば「アメリ」（01）に出てくるクリームブリュレ（フランス語で〝焦げたクリーム〟を意味するとか）や「ショコラ」（00）のホットチョコレート、それに「グランド・ブダペスト・ホテル」（14）に登場する洋菓子の数々を思い出しますが、この「ノッティングヒルの洋菓子店」（20）にも美味しそうな洋菓子がたくさん登場している。

ノッティングヒルは、ロンドン西部の高級住宅地で、マーケットと映画とカーニバルで有名な場所。骨董品やビンテージ・ブティックやレストランが並ぶポートベロー・ストリートでは、日曜日を除く毎日、マーケットが開催されているそうで、東京でいえば、原宿か六本木のような雰囲気でしょうか。一昔前に、長期間ロンドンに滞在していた友人に訊ねると、伝統を重んじるロンドンでは、ピカデリーサーカスのような古色蒼然《こしょくそうぜん》たる一帯が中心街で、近年、大規模な再開発が進むようになってから、ノッティングヒルも賑わうようになったとか。映画では、何といっても「ノッティングヒルの恋人」（99）のヒットが大きく、平凡な男性（ヒュー・グラント）と世界的な大女優（ジュリア・ロバーツ）のラブストーリーが評判を呼び、ノッティングヒルの地名をいちはやく高めたのは言うまでもなし。ちなみに、ノッティングヒルには、Electric Cinemaというお洒落な映画館があり、豪華な肘掛け椅子で、ゆったり寛げるというから羨ましい。カーニバルは、年に一度、移民の多かった土地柄で、カリブ海のルーツを反映したパレードや、カリプソ音楽が楽しめる祭典が開催されているそうで、ぜひ見学してみたいものです。

さて、この「ノッティングヒルの洋菓子店」、有名なカフェやレストランが軒を連ねるこの町で、長年の夢だった自分たちの店を持つことになった、パティシエのサラと、親友のイザベラ（シェリー・コン）が発端。ところが、肝心のサラが事故で急死。困り果てたイザベラとサラの娘クラリッサ（シャノン・ターベット）は、絶縁していたサラの母ミミ（セリア・イムリー）を巻き込んで、パティシエ不在のまま、開店に漕ぎつけるものの、トラブル続出で、途方に暮れるばかり。

そんな3人の前に現れたのが、ミシュラン二つ星のレストランで活躍していたスターシェフのマシュー（ルパート・ペンリー＝ジョーンズ）。彼は、20年前に、ガールフレンドだったサラから逃げた過去があり、あることを償うために、パティシエに応募してきたわけで、果たして店を軌道に乗せることができるのか、どうか。見どころは、やはり全編に所狭しと出てくるスイーツの数々ですが。

まず、お店がブレイクするきっかけになるのが、抹茶ミルクレープというのが面白い。プレスシートに、イギリス菓子のベーカリー、レイジーデイジーベーカリーの中山真由美代表が、この抹茶ミルクレープについて書かれているので引用させてもらえば、「日本では気軽に買えるイメージがありますが、実際は手間がかかる職人泣かせのお菓子」で、「クレープ地を20枚近く焼いて、クッキングシートを挟んで乾かないようにして、しっかり冷ますのにまず時間がかかり」「間にカスタードクリームと泡クリームを合わせたディプロマットクリームを使うのが一般的ですが、生クリームが溶けないよう、炊き上げたカスタードクリームを芯まで冷まし、生クリームとよく合わせて、クレープ↓

ディプロマットクリーム→クレープ……と繰り返し重ね」「表面をきれいに整えて、やっと完成」と本当に手間暇かかるだけあって、滅茶苦茶に美味しそう。ビクトリアスポンジや、大きなメレンゲ、ムースにマカロンと、映画を見終わると、洋菓子店に直行したくなりますが……。

ロンドンでナンバーワンのシェフ、ヨタム・オットレンギ率いる有名デリ〈オットレンギ〉が全面協力しただけのことはある絶品スイーツは、まさに垂涎のラインアップ。ドイツ人監督のエリザ・シュローダーは、舞台となったノッティングヒルに11年暮らし、趣味はお菓子作り。もともとは結婚を契機にイギリスに移住し、カップケーキ職人の短編ドキュメンタリーや、テレビドラマなどを手がけ、本作が長編映画デビュー作。本人曰く「お菓子を使ったシーンは楽しかったですね。登場する美味しいお菓子を頂こうと、とにかくその場にいるスタッフ、キャスト全員が最後のテイクを心待ちにしていたので（笑）」。そりゃ、そうでしょうね。見ているこちらもスクリーンに手を伸ばして食べたくなりました。

クレイマー、クレイマー

作品データ

「クレイマー、クレイマー」（1979　アメリカ）監督・脚本／ロバート・ベントン　主演／ダスティン・ホフマン、メリル・ストリープ、ジャスティン・ヘンリー（105 分）

夏、連日40度に近い暑さになると、ほんの少し歩いただけでも、全身汗まみれ。熱中症を避けるためには、水分の補給は欠かせませんし。そうかといって、清涼飲料水ばかり飲んでいるのも飽きてしまい、そうなると、アイスクリームの出番になり、私のなかでは、もはや猛暑のなかにあっては嗜好品というより必需品に近くなります。

アイスクリームの登場する映画といえば、たとえば「ローマの休日」(53)のヒロイン、アン王女(オードリー・ヘップバーン)がコーンカップに盛り上げたアイスクリームをなめながら、ローマのスペイン広場を散歩するシーンとか、ミステリーコメディ「料理長殿、ご用心」(78)のアイスクリームを使った豪華なデザートなどが思い浮かびますが、ここは、あえて「クレイマー、クレイマー」(79)を。短い場面ながら、きわめて印象的な使われ方をしていましたので。

物語の中心になっているのは、広告会社に勤めるテッド(ダスティン・ホフマン)と、妻ジョアナ(メリル・ストリープ)、そのひとり息子ビリー(ジャスティン・ヘンリー)。忙しさにかまけて、テッドは妻とのコミュニケーションをとることができず、ある日突然、ジョアナは家を出てしまう。取り残された父親と息子は、ふたりだけの生活を送ることになるが、テッドは、フレンチ・トーストひとつ満足に作ることができず、やがて仕事と育児を両立できず、会社から解雇されてしまう。泥沼のような離婚裁判のなかで、テッドは息子との関わり方を含めて、否応なく自分の人生と向き合わざるをえなくなる。

映画の半ばで、ビリーはレトルト食品のハンバーグが気に入らず、どうしてもアイスクリームを食べたいと駄々をこねる。それはデザートだという父親の言葉を無視して、ビリーは冷凍庫のなかのアイスクリームをひと口食べてしまう。それまでの不満が爆発して、ビリーはアイスクリームを食べるという行為で反抗し、逆上したテッドは息子を子供部屋に閉じ込める。ベッドで泣くビリー、酒をあおるテッド。親子の間の、どうしようもない壁がここで明確に提示されている。

もともと、アメリカは世界一のアイスクリーム消費国で、大人も子どももアイスクリームが大好き。年間消費量は560万5千800キロリットルで、何と日本の約7倍強というから凄い。種類も豊富で、コーン、スティック、サンデー、エスキモー・パイなどは、アメリカで生まれたものだし、一個一個のサイズも大きく、ビリーが冷凍庫から出したものも、ボリュームたっぷりで、とにかくでかい。

アイスクリーム自体の起源は古く、「アイスクリーム図鑑」(96/日本アイスクリーム協会発行)によれば、古代ギリシャやローマの時代から嗜好品として愛用され、ジュリアス・シーザーは、それまで雪や氷を貯蔵していただけのものに、蜜や牛乳、ワインなどを混ぜて食べていたとか。暴君として名高いローマ皇帝ネロは、わざわざアルプスから奴隷に万年雪を運ばせ、果汁や蜂蜜などをブレンドした氷菓「ドルチェ・ビータ」を好んでいたという記述が残っている。何しろ「旧約聖書」にも、古代の長老たちが、氷雪をミルク・シャーベット風にして食べていたと書かれているほどなので、人類とアイスクリームとのつきあいは、気が遠くなるほどの歴史があるに違いない。

ちなみに、日本で最初にアイスクリームが商品化され、製造販売されたのは、明治2（1869）年というから意外に新しい。同年5月9日に町田房造《ふさぞう》という人が、横浜馬車道通りで、氷と塩を用いて、アイスクリーム＝「あいすくりん」を本格的に売り出し、この日を記念して「アイスクリームの日」が協会認定で制定されている。以後、風月堂や資生堂などからも売り出されたが、値段は高く、庶民には高嶺の花の贅沢品だったらしい。

「クレイマー、クレイマー」に話を戻しますと、この映画の撮影時に、ダスティン・ホフマンは離婚調停中、メリル・ストリープは「狼たちの午後」（75）や「ディア・ハンター」（78）に出演した恋人ジョン・カザールが亡くなったばかりで、ふたりとも映画に負けず劣らずの傷心状態だった。製作者たちは、当初この作品は小品のつもりで企画をスタートさせたが、結果的には大ヒット。その年のアカデミー賞の、最優秀作品賞、主演男優賞、助演女優賞、監督賞、脚色賞と主要部門を独占してしまったのだから、逆境のなかで、役者としての正念場を見せた甲斐があったというもの。ヴィヴァルディの「マンドリンと弦楽の協奏曲・ハ長調」が映画の冒頭で効果的に使われていたことも忘れられません。

男はつらいよ　寅次郎相合い傘

作品データ

「男はつらいよ 寅次郎相合い傘」（1975　日本）
監督・脚本／山田洋次　脚本／朝間義隆　主演／渥美清、浅丘ルリ子、倍賞千恵子、船越英二（90分）

〽私、生まれも育ちも葛飾柴又です。帝釈天で産湯をつかい、姓は車、名は寅次郎。人呼んでフーテンの寅と発します。――という軽快な口上から始まる、御存知フーテンの寅さんを主人公にした「男はつらいよ」シリーズは、1968年10月3日、フジテレビの連続テレビドラマとして誕生し、翌69年に映画化され、以後「寅次郎紅の花」（95）まで計48本が製作され、日本映画を支える屋台骨として人気を集めた。主演の渥美清の死後も、「寅次郎ハイビスカスの花・特別編」（97）が作られ、ついに「お帰り、寅さん」（19）ではCG合成で寅さんが蘇るほど、全国民から愛されたヒット・シリーズだった。

スピン・オフ作を含めた50作のなかで、最も有名なエピソードといえば、第15作「寅次郎相合い傘」（75）のなかに登場する〝メロン騒動〟の件《くだり》だろう。マドンナは、シリーズ最多登板のリリー（浅丘ルリ子）。「寅次郎忘れな草」（73）に続いての出演であり、以後も「寅次郎ハイビスカスの花」（80）「寅次郎紅の花」にも出演し、山田洋次監督は、寅さんとリリーの結婚まで考えたほど、ぴったりと息の合った名コンビだった。

さて、「寅次郎相合い傘」に戻ると、北海道を一緒に旅した蒸発男（船越英二）が、旅行で世話になったお礼にと、とらやにメロンを持ってくる。リリーがお客でやって来たので、みんなで分けて食べようとしたところへ寅さんが帰ってくる。寅さんを勘定に入れてなかったので、一同は大慌て。食べかけの皿を隠したりしたもんだから、寅さんは激怒する。さくら（倍賞千恵子）が詫びるが、寅さんの機嫌は直らない。寅さんのために、ひと切れ残しておくべきだったが、一同に悪気があったわけではない。もともと堅気に対する負い目もあって、僻みに僻む寅さんは子どものように暴れる。たかがメロンと侮るなかれ。今では、身近な果物として親しまれているけれど、庶民にとって、昭和30年代までは、メロンは高嶺の花だった。「男はつらいよ」のこのエピソードには、そうした記憶が反映されているだろうし、寅さんの怒りも切実なものとして感じられるかもしれない。山田監督の証言によれば、公開当時〝メロン騒動〟の場面は、浅草や上野の劇場では、大爆笑になり、銀座や新宿の劇場では、「メロンひとつぐらい」と冷ややかな反応だったという。

香りがよくて甘くて果汁たっぷりで、ひんやりとしておいしいメロンは、古代中国やヨーロッパの文献にも度々登場する。その原産地は、インド亜大陸と、ヒマラヤ山岳であるらしいと、2010年、植物学者のスザンヌ・レナーと、ミュンヘン大学の研究グループが種子のDNA解析の結果を発表している。諸説あるが、おそらく紀元前2300～同1600年頃、インド中西部の地層から種子の遺物が発見されているとか。コロンブスが、カリブ海地域の新世界を目指す2度目の航海に出た時、航海中の1494年3月29日の日誌に、「メロンの種をまいてから、2カ月もせずに、すでに食べられるまでになった」という記述もある。日本では、2008年の初競りで、夕張メロン2玉に250万円という値段がついて大きな話題になった。マスクメロンの一栽培品種である夕張メロンは、北海道で栽培され、日本の甘いメロンの王様として名高い。

ところで、シルヴィア・ラブグレン著『メロンとスイカの歴史』（17／原書房刊）によれば、昭和50年代に日本で開発された「アンデスメロン」の名前の由来は、原産地がアンデスということではなく、農家が「安心して」作れ、消費者も「安心して」買える、つまり「安心ですメロン」の略称として命名されたそうで、成程そういうことだったんですね。

世界中の人々に、いかにメロンが愛されてきたかがよく分かるし、筆者も大好物ですが、そのわりに映画のなかでメロンがとりあげられることが少ないのは残念。

「男はつらいよ 寅次郎相合い傘」と並んで、メロンが強烈な印象を与える映画を、もう一本挙げるとすれば、伊丹十三監督の「あげまん」（90）か。男にツキをもたらすヒロイン、ナヨコ（宮本信子）が、周囲の男たちの道を開いていくコメディだったが、劇中でナヨコが入院中の政治家、鶴丸（北村和夫）の見舞いに行くと、何と彼は病院のベッドの上で、お盆にのせた、丸剥きのメロンを貪り食べている！ 「一度こうやって食べてみたかったんだ」と言う鶴丸を唖然として見守るナヨコというエピソードだったが、高級な果物メロンを、思いっきり下品に食べさせることで、政治家の俗物性を一発で表現するとは、さすが伊丹監督と感心させられた。丸剥きのメロンですよ！ 恥ずかしながら、私も一度こっそり食べてみたい。

E.T.

作品データ

「E.T.」(1982　アメリカ) 監督/スティーヴン・スピルバーグ　脚本/メリッサ・マシスン　主演/ヘンリー・トーマス、ディー・ウォーレス、ドリュー・バリモア、ピーター・コヨーテ (115分)

「E．T．」（82）の原題「E.T. The Extra-Terrestrial」は、〝地球外生命体〟を意味する。「ジョーズ」（75）「ジュラシック・パーク」（93）「プライベート・ライアン」（96）などのヒットメーカー、スティーヴン・スピルバーグ監督が「E．T．」で描いたのは、その〝地球外生命体〟と少年たちとのふれあいの物語だった。

スピルバーグ自身の少年時代の心情を込めた、この作品は従来のSF映画のように宇宙人を敵対者や侵略者としては描かず、知的で優しく思いやりのある存在として描いていた。

「未知との遭遇」（77）で宇宙人との接近を描いたスピルバーグは、より深く、少年と宇宙人の間の魂の交流まで踏み込み、感動的な作品にすることに成功した。小さなエイリアンE．T．を、スピルバーグは「見た目はカッコ悪くても怖くないものにしよう」と決め、甲羅のない亀のような姿にすることにした。イタリアの画家であり彫刻家のカルロ・ランバルディが造形したE．T．は、しわくちゃの顔だが、ユーモラスな感情表現を見せて、たちまち子どもたちの人気者になった。

冒頭、地球探査に訪れたUFOが、地球人に発見される危機を恐れ、仲間をひとり置きざりにして飛び立ってしまう。残されたE．T．と出会ったエリオット少年（ヘンリー・トーマス）は、兄のマイケル（ロバート・マクノートン）や妹のガーティ（ドリュー・バリモア）と協力して、故郷の星に帰すべく奮闘するが、異星人を追うNASA（アメリカ航空宇宙局）の手が近づいて——という物語だが、最初に家の納屋でE．T．と出会ったエリオットは、驚いて、その場を逃げ出してしまう。しかし、どうしてもE．T．の存在が気になるエリオットは、近くの森に行き、粒状のチョコレートを撒いて探そうとする。ピッツァや缶ビールは大好物のようだがE．T．が色とりどりのチョコレートに興味を示したかどうかは定かではないが、エリオットが、このお菓子を撒いて、E．T．の気を惹こうというのが、いかにも子どもらしくて微笑ましい。

日本でいえば、明治製菓が1961年から販売した、七色の糖衣の粒状チョコレート、マーブルチョコレートに近いものだろう。子役タレント、上原ゆかりの出演したCMは大評判になり、筆者もよく食べていた記憶がある。

マーブルチョコレートの原型は、アメリカで、1941年から発売された〝エムアンドエムズ〟（M&M's）で、もともとは、アメリカ陸軍によって使われた軍事用デザートだったらしい。この誕生の経緯が興味深い。第二次大戦が始まって間もなく、南太平洋に駐屯した陸軍部隊を監視官が視察した際、兵士たちから、「口の中で溶けて、手の中で溶けないチョコレートを開発してくれ」と嘆願があった。当時、軍が支給する食料の中のチョコレートは、南太平洋の暑さで、すぐに溶けてしまい、手にもべたついて不評で、甘いものを楽しみにしていた兵士たちを失望させていた。その要請で、M&M'sが開発された。それ以前、スペイン内戦の折に現地を訪れたフォレスト・マースは、兵士たちが砂糖でくるんだ固形のチョコレートを食べていたのを見て、そこから着想を得た。

1940年に帰国したマースは、軍の依頼を受け、友人のブルース・ムリーと共同で、粒状のチョコレートを開発し、ニュージャージー州に工場を設置する。二人の頭文字である「M」をつなげて、「M&M's」(マース&ムリーズ)を商標登録化し、翌41年から製造を開始。幸い、ブルースは、ハーシー社の社長の息子で、原材料は、チョコレートの配給権をもっていたハーシー社のチョコレートを使って大量に製造することができた。

戦時中、陸軍は紙筒にM&M'sを詰めたものを補給品目に加え、海軍もこれに従った。M&M'sは、現在も軍の重要な補給物資のひとつとして扱われ、のちには宇宙食として宇宙飛行士にも支給され、81年のスペースシャトル初打ち上げの際にも積み込まれている。

「E.T.」に話を戻すと、劇場オリジナル版も含めて、20周年記念ディレクターズ・カット版など、いくつかのバージョンが存在するが、M&M'sの描写も、若干違いがあるようだ。と、ここまで書いてきて、新たな事実が判明。M&M'sには協力を断られ、ハーシーのお菓子を使用したとか。この経緯も実に面白いが、それはまた次の機会に。

ドーナツキング

作品データ

「ドーナツキング」（2020 アメリカ）監督・製作・脚本・撮影／アリス・グー　製作総指揮／リドリー・スコット　音楽／ライザ・リチャードソン／ドキュメンタリー（99 分）

ハニーディップ、エンゼルクリーム、オールドファッション、チョコレート、フレンチクルーラー、シナモン、ポン・デ・リング……など、種類はまだまだ沢山あるが、こう書いていると、どんどん食べたくなってくる。

以上挙げたのは、言うまでもなく、ドーナツの種類だが、ダンキンドーナツや、ミスタードーナツなどの店舗に通う日本人以上に、ドーナツが大好きなのは、アメリカ人で、何と年間ドーナツ消費量は約100億個、全米には2万5千店以上ものドーナツ店があるとか。そのうちの約5千店舗は、カリフォルニア州にあるということを、新作ドキュメンタリー「ドーナツキング」（20）を見て、初めて知りました。

そのカリフォルニア州にある個人経営のドーナツ店の90％以上は、カンボジア系アメリカ人が営んでいる。なぜ、カンボジア？　ここからが〝事実は小説より奇なり〟ですが、全米の人々から〝ドーナツ王〟と呼ばれ、一時は2千万ドル（日本円で約22億円）もの巨額の資産を築いたカンボジア人男性テッド・ノイ（1941年生まれ）が、全てのはじまり。

彼は渡米するまで、アメリカのことはほとんど知らず、ドーナツを口にしたことさえなかったというから、さらに驚く。カンボジアで陸軍少佐だった彼は、1970年の内戦当時、家族と共にタイへ赴任するも、1975年、首都プノンペンが共産勢力クメール・ルージュに制圧されて陥落すると、帰る国を失ってしまう。カンボジア政府が無条件降伏し、難民となったテッド一家は、アメリカへ渡ることを決意。ガソリンスタンドでアルバイトをしていた時、友人に誘われるまま、初めてドーナツを食べ、そのあまりの美味しさに絶句。ドーナツ店が夜中にも関わらず繁盛していることを知り、「これだ!」と一念発起して、店員に「3千ドル貯めたら、自分の店を開業できるか?」と尋ね、「ウインチェルで修行してから、店を持つといい」と教えられる。

無一文だったテッドは、さっそく大手ドーナツチェーン、ウインチェルで研修を受けて、働きながらドーナツ作りをマスターし、3カ月後には店舗責任者になり、さらに1976年には、ウインチェルと掛け持ちで、自分の店「クリスティ」を開店する。ちなみに店の名前は、テッドの愛妻の名前とか。人件費を抑えるため、自分と妻、3人の子供たち総出で、毎日休まず店を切り盛りし、最初のうちこそ、自分たちカンボジア人が、アメリカ人の口に合うドーナツが作れるのか、不安にかられるが、妻クリスティの気さくな接客が評判を呼び、たちまち店は大繁盛する。

さらに、それまでドーナツの箱は白というのが一般的だったが、経費削減で、コストの安いピンクの箱に変えると、客に大受けし、これが後に全米のドーナツ店で定番化。自分の店で積極的にカンボジア難民たちを雇い、彼らにドーナツ製造のノウハウを教え、自活の手助けをする。系列店は、みるみるうちに増え、一店舗あたり、多い時の売り上げは、月に10万ドル(約1千100万円)を稼ぐようになり、当時のブッシュ大統領からその功績を讃えられて表彰され、まさにアメリカンドリームを絵に描いたようなサクセスストーリーにこちらも興奮させられる。

もちろん全てが順風満帆というわけではなく、映画では、カンボジア内戦や難民事情、さらには、大手チェーン店VS個人経営店の確執という厳しい現実も描かれるが、カンボジア系アメリカ人が営むカリフォルニア州のドーナツ店のルーツは、どの店もテッドに辿りつき、人々は口々にテッドへの感謝を笑顔で述べている。ところが、そのテッドを思いがけない運命が襲うが、これは映画を見てのお楽しみ。

ここでドーナツの起源を探ると、諸説あるが、古代エジプトの頃から作られ、パン生地を揚げたドーナツは、どうやらドイツで創作されたらしい。岡田哲編『たべもの起源辞典』（03年／東京堂出版）によれば、「アメリカに伝えられて、リング状になる。真ん中の穴は火の通りをよくする工夫で揚げやすくなり、量産化される。ドーナツの起源は、パン生地（ドー）を揚げた形が、木の実（ナッツ）に似ているから。（略）乳化剤をたくみに組み合わせることで、生地の機械耐性が安定し、均一な製品の量産が可能になり、１９７１年にダンキンドーナツなど、アメリカの企業が日本にも続々と進出し、新たなファーストフード市場が形成されることになる」。なるほどね。

日常的に食べているドーナツにも、さまざまな事情があるんだなあと、遠く日本から、アメリカのドーナツ・マーケットについて教えられる映画でした。

マリー・アントワネット

作品データ

「マリー・アントワネット」(2006 アメリカ・フランス・日本) 監督・脚本／ソフィア・コッポラ
主演／キルスティン・ダンスト、ジェイソン・シュワルツマン、マリアンヌ・フェイスフル、トム・ハーディ (123分)

表面はツルッとして、カリッとしているのに、中身は柔らかく、しっとりとした食感で大人気のマカロンは、アーモンドとメレンゲで作るフランスの伝統的な焼き菓子。最近、我が家の近所にも専門店ができて、店頭のホワイトチョコレート、ストロベリー、抹茶、クリームブリュレ、ラムレーズンなどカラフルなマカロンを見ていると、やっぱり美味しそう。

マカロンと映画といえば、思い出されるのは、「マリー・アントワネット」（06）で、真偽の程はともかく、「パンがなければ、お菓子を食べればいいじゃない」と放言したというユニークな彼女のキャラクターに、マカロンはよく似合う。オーストリアで生まれ、18歳の若さでルイ16世と結婚してフランス王妃になった波瀾万丈の生涯は、これまでにも「マリー・アントワネットの生涯」（38）や「マリー・アントワネット」（56）「マリー・アントワネットの首飾り」（01）など何度も映画化されているけれど、ソフィア・コッポラ監督によるこの作品をあえてとりあげたのは、全編に彼女のポップなセンスが炸裂し、中でも監督のたっての希望で、劇中に登場するマカロンを、パリの老舗パティスリー、ラデュレが監修しているから。ラデュレの看板メニューであるマカロンを積み上げたピラミッドは、スウィートなピンクで彩られ、そのカラフルな世界観が、この映画の特徴を端的に表しているようにも見える。

ところで、そもそも18世紀のフランスにマカロンは存在したんだろうか？　現在のマカロンの特徴であるマカロナージュ（あわ立てたメレンゲの気泡を潰し滑らかな表面を作る）や、生地の乾燥などが行われていない原型のアマレットに近いものは確かに存在していた。映画のようなカラフルなマカロンは20世紀に入ってから商品化されたもので、部分的にせよ時代考証を大胆に無視したコッポラ監督ならではの離れ技。まぁ、マカロン自体もフランスのイメージですが、実はイタリアの修道院が発祥という説がありますが。

ソフィア・コッポラ監督は、言うまでもなく、「ゴッドファーザー」（72）のフランシス・フォード・コッポラ監督の愛娘で、最初は「ゴッドファーザーPARTⅢ」（89）のアル・パチーノの娘役を演じて女優としてデビューしたものの酷評の嵐に晒され、その後、写真家やデザイナーに転身。満を持して、「ヴァージン・スーサイズ」（99）で監督デビューし、「ロスト・イン・トランスレーション」（03）や「ブリングリング」（13）などを経て、「The Beguiled／ビガイルド 欲望の目覚め」（17）で見事カンヌ国際映画祭の監督賞を受賞。「マリー・アントワネット」では、ヒロインを「スパイダーマン」（02）のキルスティン・ダンストが演じているが、孤独に悩む彼女の姿に、監督は自分自身を投影しているのではと想像させられる。

佐藤賢一『フランス革命の肖像』（10／集英社刊）によれば「（彼女は）あまり物事を深く考えない、姫様育ちにありがちな短絡的な性格だったようだ。勝ち気、移り気、我儘、傲慢、ところが、そうした短所と背中合わせに、女としての得難い魅力も共存させているから、この王妃は厄介なのだ。実際マリー・アントワネットの肖像画を眺めれば、ある種の華があることを認めざるをえない。とろんとした目に受け口の顎という、いわゆるハプスブルグ顔の形質は、それほど濃くはないながら、やはり看取される。絶世の美女では決してないのだが、それでも目を惹きつけるのだ」という彼女に監督が共感したのかも。

撮影は、フランスのヴェルサイユ宮殿で3カ月にわたって行われたが、その撮影賃貸料は一日1万6千ユーロ、トータルで日本円にして、約1億9千万円になったはずだが、その効果の甲斐もあって、ゴージャスな雰囲気は、さすが。第79回アカデミー賞では、華やかなドレスの数々に、最優秀衣裳デザイン賞を受賞（ミレーヌ・カノネロ）。

第59回カンヌ国際映画祭に出品されたが、プレス試写を見たフランスのマリー・アントワネット協会の会長（そんな協会があるのか！）が「この映画のせいで、アントワネットのイメージを改善しようとしてきた我々の努力が水の泡だ」という声明を出したが、コッポラ監督は毅然として「伝記映画というよりも、マリー・アントワネットをひとりの少女として描いた青春映画の側面があり、必ずしも史実を忠実に再現することを意図して製作された作品ではない」と反論し、父親譲りの気骨ある主張に、マスコミや観客は拍手喝采したとか。そういう意味では、内面はナイーブで、外形はカリッとしたマカロンは、この映画の本質に相応しいのかもしれません。

あん

作品データ

「あん」（2015　日本＝フランス＝ドイツ）監督・脚本／河瀨直美　原作／ドリアン助川　主演／樹木希林、永瀬正敏、内田伽羅、市原悦子、水野美紀、太賀、兼松若人、浅田美代子（113分）

冒頭の桜並木の風景が美しい。これは西武新宿線久米川駅南口に実在する桜並木で、お花見の時期には大通りで、さくらまつりが開かれ、多くの人で賑わっているとか。その駅前広場の一隅に、この映画の舞台となる、どら焼き屋「どら春」があるが、これは映画のためにロケセットが組まれたという。

「どら春」の雇われ店主として、単調な日々を送る千太郎（永瀬正敏）の許《もと》に、求人の張り紙を目にした老女、徳江（樹木希林）が自分を雇ってほしいとやってくる。最初は躊躇していた千太郎だが、粒あん作りの経験があるという徳江のおかげで、店は大繁盛するようになる。それまでは安易に既製品の粒あんを使っていたのだが、徳江は一から手作りで仕込み、その過程が映画の大きな見せ場になっている。「どら焼きは、あんが命」と言う徳江は小豆を丁寧に選別し、ぐつぐつと煮込まれるあんに向かって「頑張りなさいよ」と声をかけるのだ。

その工程は、①まず鍋に水洗いした小豆と、たっぷりの水を入れ、沸騰させる。②火で5分ほど煮てから、火を止め、ざるにあげて水洗いし、水気を切る。③再び鍋に戻し、水を被るくらい入れて強火にし、沸騰したら中火にして蓋をし、差し水をしながら、柔らかくなるまで加熱する。④煮汁を捨て、三温糖（日本特有の結晶砂糖）や水飴などを入れて、中火にかけ潰さないように混ぜ、水分がなくなり、もったりとしたら塩を入れて混ぜ、火を止め、粗熱を取って完成――という一連の流れが、映画の中の大きな要素として、ドキュメンタリーのように描かれ、確かに、こうして作られた粒あんのどら焼きは、さぞ美味しいだろうなあと画面に見とれてしまう。

樹木さんは「監督の河瀬（直美）さんは実際に何でも体験させてから撮影する人です。私の演じる徳江さんはあんこ作りの名人なので、実際にお菓子学校に行って教わって、朝から晩まであんこをつくりました。あんこに水飴を入れるなんて知りませんでしたね」と、その著書『一切なりゆき』（18／文春新書）で語っているが、成程そうした体験が映画の中に、そのまま活かされているんですね。

最初は厨房で、あんを作るだけだった徳江も、次第に店先に顔を出すようになり、地元の中学生ワカナ（内田伽羅《きゃら》）とも交流を深めるようになる。ちなみに、内田伽羅は樹木希林の孫であり、「あん」（15）は祖母と孫の共演。

だが、ある噂が千太郎や徳江を苦しめるようになる。徳江が、東村山市にある国立ハンセン病療養所「多磨全生園」に住んでいたことから、心ない声で客足は遠ざかってしまう。「多磨全生園」も実在の施設であり、前述の『一切なりゆき』で、樹木希林さんはこう語る。「私はこの年齢になって、初めて東京にこうした場所があることを知りました。東京ドーム8個分の大きな敷地に住まいが集まっています。国の隔離政策によってここに住まわされ、それが廃止されたのは1996年のことです。偏見と差別の中に置かれ続け、病気は完治していても、すでに年齢もいって社会には戻れない。そうした方たちが多くいらっしゃった。入所者の方たちに伺った話は、本当に衝撃でした。情をかけるなんておこがましくて、できない。私はただ彼らの苦しみに寄り添うことしかできないのだと、深く考えました」

ところで、河瀬監督の作品は、自主映画時代から代表作である「萌の朱雀」（97）や「殯の森」（07）などにしても、一貫して〝自分探し〟と、そこから派生する〝承認欲求〟が前面に出過ぎていて、個人的には苦手なのだが、「あん」には、そうした空気は希薄である。おそらく、河瀬作品には珍しく原作ものであり、樹木希林という存在自体に他者を意識せざるをえなくなり、そうした作用が結果的にはプラスに働いたのではないだろうか。

「あん」は第68回カンヌ国際映画祭「ある視点」部門のオープニング作品として出品され、その後国内外の映画賞を数多く受賞。徳江役の樹木希林も、この作品で山路ふみ子映画女優賞、第40回報知映画賞主演女優賞、第39回日本アカデミー賞優秀主演女優賞などを受賞し3年後の2018年9月15日に逝去する。河瀬監督は〝自分探し〟とは真逆の方向で、社会全体と対峙せざるをえない「東京2020オリンピック SIDE:A/SIDE:B」（共に2022）を手がけたが、興行、内容ともに残念ながら不発という結果に終わった。

「あん」のような作品を再びと願う映画ファンが少なからず存在することを知ってほしいのだが。

パルプ・フィクション

作品データ

「パルプ・フィクション」（1994 アメリカ） 監督・脚本／クエンティン・タランティーノ　主演／ジョン・トラボルタ、サミュエル・L・ジャクソン、ユマ・サーマン、ティム・ロス、ブルース・ウィリス（154分）

「キル・ビル」（03）や「イングロリアス・バスターズ」（09）、「ワンス・アポン・タイム・イン・ハリウッド」（19）など、次から次へと話題作を発表しているクエンティン・タランティーノ監督は、「レザボア・ドッグス」（91）で鮮烈なデビューを飾ったが、続く第2作が、この「パルプ・フィクション」で、アカデミー賞では7部門にノミネートされて、脚本賞（タランティーノ＋ロジャー・エイヴェリー）を受賞。カンヌ国際映画祭では、見事パルム・ドールの栄冠に輝いた。

映画の冒頭で、〝パルプ〟とは、①柔らかく湿った形状のない物体、②質の悪い紙に印刷された扇情的な内容の出版物、と字幕で説明される。〝パルプ・フィクション〟とは、いわゆる大衆犯罪小説が掲載されている三流雑誌を意味しており、タランティーノは市井の犯罪者たちを主人公にした物語を明らかに自虐的に、あるいはジャンルを特定することで別の次元に止揚するという野心を持っていたに違いない。全体は5つの章で構成されているが、物語としては3つの要素で成立し、ユニークなのは時間軸を交差させて、思いがけない展開を辿ることだ。

まず、ダイナーで食事をしているパンプキン（ティム・ロス）とハニー・バニー（アマンダ・プラマー）のカップルのエピソード、そして盗まれたスーツケースを取り返したビンセント（ジョン・トラボルタ）と、ジュールス（サミュエル・L・ジャクソン）のギャング2人組のエピソード、最後に八百長試合の報酬を受けてとって逃げるボクサー、ブッチ（ブルース・ウィリス）のエピソード。

ビンセントとジュールスは、偶然にもダイナーで強盗を企てるパンプキンとハニー・バニーに出くわすが、この時、ビンセントたちが食べているのが、ブルーベリーのパンケーキで、一仕事を終えた後だけに、なかなか美味しそうに見える。ちなみに、このダイナーは、タランティーノの行きつけのお店ホーソーン・グリルで撮影されたが、残念なことに数年後に閉店してしまったとか。

ところで普段から気になっていたのだが、パンケーキとホットケーキは、どう違うのだろうか。どちらも小麦粉と卵、牛乳、ベーキングパウダーを原料に作っている。いろいろ調べてみると厳密な定義はなく、違いも明確ではないようだ。もともとパンケーキの起源は古代ギリシャにあり、文献上では16世紀に初めて登場している。18世紀の料理本にはパンケーキも度々掲載され、19世紀にはアメリカで一般市民も食べるようになり、専用の粉も発売されるようになった。日本には明治時代に伝わり、大正時代には一般家庭でも愛好されていた。だが、なぜ、パンケーキは、ホットケーキよりも認知度が低いのだろうか。それは、1931年に日本初のホットケーキが発売されたあと、森永製菓がホットケーキの素を発売、これが爆発的な大ヒットになって、ホットケーキの知名度が一気に高くなったことに起因しているらしい。どうやら日本人向けに生地が甘くなるように作られたのが、ウケた最大の理由のようだ。現在ではパンケーキもファミレスなどで気軽に食べられるようになり、盛り返してはいるようですが。

パンケーキは、ジャンクフードと並んで、タランティーノの大好物だそうで、それがビンセントたちの食事になったのだろう。ビンセント役のジョン・トラボルタは、「サタデイ・ナイト・フィーバー」（77）の大ヒットでスターの仲間入りをしたが、90年代に入ってからは人気が急落し、「パルプ・フィクション」の公開直前には鳴かず飛ばずの状態だった。タランティーノはトラボルタ主演「ミッドナイトクロス」（81）を何度も見て「素晴らしい俳優だ」と絶賛し、出演交渉して実現した。この作品のヒットで、トラボルタの生活は一変し、仕事のオファーが殺到。当時の彼のギャラは、一本10万ドルだったが、２千万ドルにまで跳ね上がったというから凄い。まさに一発逆転、見事な復活劇になった。

相棒ジュールス役のサミュエル・L・ジャクソンは、脚本を書いていた頃の無名時代のタランティーノに注目していたが、「レザボア・ドックス」のオーディションには落ちたものの、「パルプ・フィクション」では脚本執筆段階からアテ書きしてもらい、イギリスアカデミー賞では助演男優賞を受賞した。彼の髪型は最初アフロヘアが想定されていたが、当時のアシスタントが間違えて、カーリーヘアーのカツラを用意してしまったことから、そのまま使用されたというのは有名なエピソード。ところでこの映画では、劇中で「ｆｕｃｋ」という言葉が、２５０回以上使用されているらしい。暇な方は、数えてみてください。

エデンの東

作品データ

「エデンの東」（1955 アメリカ） 監督／エリア・カザン 原作／ジョン・スタインベック 主演／ジェームズ・ディーン、ジュリー・ハリス、レイモンド・マッセイ、ジョー・ヴァン・フリート（118 分）

1955年9月30日午後、カリフォルニア州郊外の州道46号線と41号線の分岐点で、シルバーのポルシェ550スパイダーと、フォードが衝突事故を起こした。フォードの運転手は軽傷で済み、ポルシェの乗員も車外に投げ出され骨折したが、運転していた若者は車内に閉じ込められ、首の骨を含む複雑骨折、内臓損傷などで、ほぼ即死状態だった。その若者こそ、24才のジェームズ・ディーンだった。

彼は「ジャイアンツ」(56)の撮影終了1週間後に、サリナスで行われるカーレースに参加するため、自動車整備士のラルフ・ウッタリックと共に走行していた。事故原因は、当初ディーン側のスピード超過による完全な過失として扱われたが、後に車両の残骸とディーンの体の位置が違反とされる速度と矛盾していることが指摘され、フォード側が交差点で急転回しようとしたことも原因ではないかと言われた。しかし、事故の約2時間前にディーンがスピード違反の切符を切られていたことも事実であり、真相は闇の中である。ただ、この瞬間からディーンは死後半世紀以上を過ぎた現在でも、すべての世代にとって反逆の象徴であり続け、伝説となった。今日に至るまで夥しい量の評伝やドキュメンタリーが世に送り出されている。

無名時代に何本かの出演作があるものの、僅か一年のうちに主演した、この「エデンの東」「理由なき反抗」(共に55)「ジャイアンツ」の三本だけで、彼はハリウッドの頂点に登りつめた。従来のスターのイメージとは異なり、彼は全身で青春の鬱屈と反抗を表現し、その陰に愛の渇きを秘めることで、観客を熱狂させた。主演作三本のうち、中でも「エデンの東」は代表作として高く評価された。原作は、ジョン・スタインベックが1952年に発表した長編小説で、原作のうち終わりの3分の1の部分に絞って映画化されている。題名からも想像できるように「旧約聖書」との相関関係の中から物語が紡がれ、映画でいえば、神に愛されたアベルと、それに嫉妬してアベルを殺すに至る兄カインの物語が骨子《こっし》になっている。

映画の舞台は、カリフォルニア州サリナス。ディーン演じるキャルは、農場を営む頑固者の父親アダム（レイモンド・マッセイ）が兄のアロン（リチャード・ダヴァロス）ばかり可愛がっていると感じ、しだいに自分の出生に疑問を持つ。撮影現場では、ディーンの演技に対して、レイモンド・マッセイが、エリア・カザン監督に不満を訴えた。これを受けて、カザンは「その調子でいけ」と、ディーンにアドバイスしたという。名匠カザンは、リアルな演技が、人々の心により深く刻みこめると知っていたのだ。アカデミー賞では、主演男優賞、助演女優賞、監督賞、脚色賞の4部門にノミネートされ、母親ケートを演じたジョー・ヴァン・フリートは助演女優賞を受賞した。

ところで、劇中でアメリカが第一次世界大戦に参戦するパレードを、キャルや、ヒロインのアブラ（ジュリー・ハリス）、アロンらが見ている場面で、彼らが〝黒い紐状の食べ物〟をスナック菓子のように食べていて、字幕ではキャンディーとされているが、実はこれは「リコリス」というお菓子。スペイン甘草の根、アニスオイル、ゼラチンなどで作られ、アメリカではリコリス、スウェーデンやデンマークでは、ラクリッツとも呼ばれている。リコリスには、グリチルリチンや、フラボノイド（イソフラボノイド）の成分が含まれ、強い抗酸化作用や甘味を含有し、消化や喉にも良いことから、北米やヨーロッパでは、子供からお年寄りまで幅広い層に愛されているとか。グミのような感触の嗜好品で、私も何度か食べたことがあるけれど、日本人にはどうかなあ。

なお、昨年評判になったポール・トーマス・アンダーソン監督のアメリカ映画「リコリス・ピザ」(21)は、ロサンゼルスのレコード・チェーン店を意味し、監督がそれにインスパイヤされて題名にしたもので、劇中には、その店は勿論、お菓子のリコリスも登場していない。

そして意外なエピソードをひとつ。若き日の勝新太郎は父親が参加する1952年の「アヅマカブキ」のアメリカ巡業に三味線弾きとして同行し、現地で立ち寄った20世紀フォックス撮影所で、ディーンに紹介される。勝は、そのボサボサ頭にヨレヨレのシャツとジーンズの姿に衝撃を受け、これなら自分もスターになれるかもしれないと思い、俳優への転身を決意したという。ジェームズ・ディーンの存在がなければ「座頭市」も誕生しなかったというわけで、映画の神様も、ずいぶん粋な計らいをしたものですね。

6 奥ぶかき嗜好品！ その他編

パリの調香師
しあわせの香りを探して
〔香水〕

作品データ

「パリの調香師　しあわせの香りを探して」(2019　フランス) 監督／グレゴリー・マーニュ　主演／エマニュエル・ドゥヴォス、グレゴリー・モンテル、セルジ・ロペス、ギュスタヴ・ケルヴェン、ゼリー・リクソン (101分)

Perfumeといえば、ライブやコンサートこそ行きませんが、私が普段CDなどで愛聴しているテクノポップユニットというか女性アイドルグループ……のことではなくて、ここでは文字通り香水のこと。香水をめぐる映画といえば、18世紀のパリを舞台にした調香師が主人公のスリラー「パフューム・ある人殺しの物語」（06）や、シャネルの5番で有名な調香師の伝記「ココ・シャネル」（08）や「ココ・アヴァン・シャネル」（09）、それにシャネルとロシアの作曲家イゴーリ・ストラヴィンスキーの恋愛を描いた「シャネル＆ストラヴィンスキー」（09）など、意外に沢山ありますが、香水を主題にしていなくても「風と共に去りぬ」（39）で、スカーレットが飲酒を隠すために、コロンで口をゆすぐシーンや、「羊たちの沈黙」（91）で、レクター博士が初対面でヒロインの香水を当てたりするシーンなどが、印象深く思い出されたりします。

古今東西、周りの人たちをふりむかせる、不思議な魔力に充ちた香りのエキス——香水についての映画を考えていたところ、偶然にも、見ることができたのは、題名も「パリの調香師」。何しろ、この映画を見て、香水は濃度の高い順でパルファム、オードパルファム、オードトワレ、オーデコロンに分類されると教えられたほどの香水初心者にとっては実に有難い作品で、トップ調香師の世界を描くにあたって、ディオールの作品協力やジョーマローンで多くのヒット香水を手がけた、現エルメスの専属調香師クリスティン・ナーゲルのアドバイスを仰いだというだけあって、本格的な香水映画であることは間違いありませんが、グレゴリー・マーニュ監督曰く「私たちの目標は、香水や香りについての学術的な映画をつくることではありませんでした」とのこと。むしろ、マーニュ監督は、ヒロインが香りを再現することになる洞窟のアイデアを、ヴェルナー・ヘルツォーク監督のドキュメンタリー「世界最古の洞窟映画3D・忘れられた夢の記憶」(10)からヒントを得たと語っているので、それはそれで、なかなか興味深いものがあります。

物語のヒロイン、アンヌ(エマニュエル・ドゥヴォス)は、かつてディオールの香水〝ジャドール〟をはじめ。数々の名作を作った天才調香師という設定。4年前に、仕事のプレッシャーと忙しさから、突然、嗅覚障害になり、地位も名声も失ってしまう。もともと素っ気なく、人付き合いも苦手。実は引っ込み思案で、人とのコミュニケーションがうまくいかないことに悩み、自分でも半ば諦めていたりもして、せっかく嗅覚が戻っても、エージェントから紹介される企業や役所の地味な仕事だけを引き受ける毎日。他人と関わりを持たず、パリの高級アパルトマンで、ひっそりと暮らしている風情が痛々しい。

そんな彼女に運転手として雇われたのが、不器用だが人の良いギョーム(グレゴリー・モンテル)。彼は娘の共同親権を得るため、新しい住まいや仕事が欲しい。気難しいアンヌに、最初のうちこそ戸惑いながら、唯一彼女に対して素直にものを言うギョームは、次第に気に入られ、アンヌの閉ざされた心も徐々に開いていくあたりが見どころ。さらにギョームにも匂いを嗅ぎ分ける才能があることに気づいてアンヌは、彼と衝突しながらも協力して、仕事をこなしていくようになる展開も、うまい。

やがて、アンヌは再び新しい香水を作りたいと思うようになるけれど、突然また嗅覚を失ってしまう……。

何よりも、アンヌとギョームのやりとりが絶妙に描かれ、その潤滑油として香水が効果的につかわれているのは、さすが。「学術的な映画をつくるつもりはない」とはいえ、マーニュ監督は「専門用語や演技については現実的で正確なものにする必要がありました。だから、台本ができたら、何人かの調香師に読んでもらって、いくつか指摘してもらいました」とインタビューに応えているだけあって、ディテールを見ているだけでも、香水の奥義の一端を垣間見ることができて、何だか得した気分。「世界に調香師は数百人しかいませんが、そのほとんどがフランスで修行を積んで働いています。物事は変化していますが、女性調香師はまだ過小評価されています」ということで、アンヌのキャラクターも、リアルに構築されているんだなあと納得できました。

映画に触発されて、私も『フランス香水伝説物語』（アンヌ・ダヴィス＋ベルトラン・メヤ＝ベルトラン著、原書房）という本を紐解いたりしていますが、どのブランドの名香にも、秘められた歴史があり、その奥の深さには感動させられます。

灰とダイヤモンド

〔サングラス〕

作品データ

「灰とダイヤモンド」（1958　ポーランド）監督・脚本／アンジェイ・ワンダ　主演／ズブグニエフ・チブルスキ、エヴァ・クジジェフスカ、ヴァクラフ・ザストルジンスキ（102分）

もともと弱視の筆者にとっては、薄いサングラスは、必需品であり、実用品なのだが、愛用している友人たちに尋ねると、大事な嗜好品らしい。食べ物や飲み物への拘《こだわ》りだけでなく、身に付けるものには、嗜好品が存在すると考えれば、それも頷ける。やっぱりレイバンのウェイファーラーだろうとか、ティアドロップ型だのウェリントン型だのと、山ほど蘊蓄《うんちく》を傾けてくれた。映画のファッションアイテムとしても頻繁に登場し、身体の一部の延長としてみれば、ヒーローやヒロインになりきって、そのイメージを自分のものにできるし。

日本映画でサングラスというと、例えば「反逆のメロディー」（70）の原田芳雄や「最も危険な遊戯」（78）の松田優作のように、どうしてもアウトローのイメージが強いが、そのキャラクターをズバリ表すという意味では、サングラスほど便利で強烈な小道具は他にないかもしれない。言わずもがな、生き方を、そのまま伝える嗜好品といってもいいだろう。映画のなかのサングラスの存在を考えると、生前の深作欣二監督から「やっぱり『灰とダイヤモンド』（58）のチブルスキなんだよな」と伺ったことがある。戦後の50年代、ポーランド映画は数々の名作を生み出したが、なかでも「灰とダイヤモンド」は、国境を越えて、当時の若者たちに大きな影響を与えた。深作監督の初期作「誇り高き挑戦」（62）のラストシーン、鶴田浩二扮する新聞記者が、サングラスをかけて、国会議事堂を睨む件《くだ》りは、明らかに「灰とダイヤモンド」を連想させる。

「灰とダイヤモンド」は、アンジェイ・ワイダ監督にとって「世代」（54）「地下水道」（57）に続く

〝抵抗三部作〟の最終作。ポーランドが、56年に、いわゆる雪解け（自由化）を迎えた時期につくられた。第二次世界大戦が終焉を迎えた1945年5月8日に始まり、翌9日に終わる物語で、この歴史的転換の最中、ある地方都市を舞台に、国内軍系ゲリラ兵のマチェク（ズブグニエフ・チブルスキ）と、労働党書記シュツーカ（ヴァクラフ・ザストルジンスキ）のふたりの運命が対照的に描かれている。シュツーカは、ロシアから来た共産党の地区委員長であり、終戦を迎えたポーランドの新政権に介入しようとするが、ポーランド人たちは、歴史的な不信感と憎しみを、ロシア人たちに対してもっている。ロンドンに亡命したポーランド政府の指令で、マチェクは、アンジェイ（アダム・パウリコフスキ）と共に、シュツーカを暗殺しようとするが、最初に殺害してしまったのは別の人物だった。その間、マチェクはホテルのバーで働く給仕の女クリスティーナ（エヴァ・クジジェフスカ）に心惹かれたりする。

複雑な葛藤の隙間で、マチェクは揺れ動き、その象徴として、サングラスは効果的に使われている。ファッションアイテムではなく、マチェクにとって、サングラスは心情の表れであり、そこに世界の、そして日本の映画人たちは衝撃を受けたのだろう。「灰とダイヤモンド」は、ヴェネツィア国際映画祭で国際批評家連盟賞を受賞した。チブルスキはいちはやく「ポーランド派」のスターになったが、駅のホームから走る列車に飛び乗ろうとして転落し、40歳の若さで亡くなる。「ポーランドのジェームズ・ディーン」と呼ばれる由縁だ。

　ところで、サングラスの起源を調べてみると、これがなかなか面白い。古代ローマ帝国の暴君ネロが、円形闘技場の催しを観戦する際に、エメラルドのレンズを使ったのが始まりという説もあれば、いや、北極圏に住むイヌイット（エスキモー）の人たちが、雪からの強烈な照り返しから目を守るために、アザラシの革や、トナカイの角で遮光レンズのサングラスを使うようになったという説もあり、文献によってまちまち。ただ、最初の安価な大量生産品として出回るようになったのは1929年に、アメリカ人の事業家サム・フォスターが製作販売するようになってからというのは、事実らしい。オゾンホールの影響で紫外線が強いオーストラリアやニュージーランドでは、児童もサングラスをかけることが珍しくないので、実用品として世界中に普及したわけですね。それでも商品として流通してから約90年というのは、意外に歴史が浅いんだなあと思いますが、映画の歴史と、ほぼ重なっているあたりが興味深い。

「灰とダイヤモンド」のような悲劇だけではなく、「メン・イン・ブラック」（97）や「マトリックス」（99）のように、今や映画には欠かせない最強のアイテムになっている。

見知らぬ乗客

〔ライター〕

作品データ

「見知らぬ乗客」（1951 アメリカ）監督／アルフレッド・ヒッチコック　原作／パトリシア・ハイスミス　脚本／レイモンド・チャンドラー、チェンツイ・オルモンド　主演／ファーリー・グレンジャー、ロバート・ウォーカー（101分）

たばことライターとは、切ってもきれない縁だろう。ライターは喫煙具の花形といえるし、こだわる人も数多い。ライターにも、オイルライター、ガスライター、ターボライター、トレンチライター、ギミックライターから、使い捨ての100円ライターに至るまで、種類も多様。銘柄もデュポンやダンヒル、ZIPPO（ジッポー）など挙げていけば、その世界は奥が深い。

当然、映画の中にもライターは日常的に登場するが、ストーリーの核心にふれる小道具として最も効果的に使われたのは、巨匠アルフレッド・ヒッチコック監督の「見知らぬ乗客」（51）だろう。

製作当時、ヒッチコック監督は、「パラダイン夫人の恋」（47）、「ロープ」（48）、「山羊座のもとに」（49）、「舞台恐怖症」（50）と4作続けて興行的に振るわず、まさに崖っぷちの状態だった。起死回生を狙って、ヒッチコック監督が選んだのは、「太陽がいっぱい」の原作者である女流ミステリー作家パトリシア・ハイスミスが書いた交換殺人による完全犯罪を描いたミステリーだった。最初はハードボイルド作家として有名だったダシール・ハメットに脚本を依頼しようとしたが、スケジュールが合わず断念。新たな脚本家として雇われたのは、「さらば愛しき人よ」や「ロング・グッドバイ」の原作者であるレイモンド・チャンドラーだった。チャンドラーは、「深夜の告白」（44）「青い戦慄」（46）で、アカデミー脚本賞に2度ノミネートされ、映画界でも売れっ子の存在だったが、シナリオ作りの段階で、ヒッチコックと意見が合わず、途中で降板。ただし、チャンドラーの名前は、クレジットに残っている。完成稿は、女性ライター、チェンツイ・オルモンドの手で纏められ、ようやく撮影にこぎつけることができた。

物語は、ワシントン郊外を走る列車の中、プロテニス選手ガイ（ファーリー・グレンジャー）と財産家の息子ブルーノ（ロバート・ウォーカー）の出会いから始まる。ブルーノはガイの私生活を知りつくしていて、ガイが妻のミリアムと不仲で、上院議員の娘アンに恋し、妻と離婚を望んでいるだろうと指摘する。やがて、ブルーノは奇妙な計画を提案する。「自分が君の女房を殺してやるから、僕の冷酷な父親を殺してくれないか」と。被害者と加害者がまったく関係のない他人同士だったら、殺人の発覚は極めて困難で、成功間違いなし。完全犯罪は、これで成立すると、ブルーノは自信満々だった。冗談だろうと、ガイは相手にせず、下車するが、この時に彼はアンから贈られたライターを置き忘れてしまう。

ここからが大変。ブルーノは勝手に殺人計画を実行に移し、今度は君が僕の父親を殺す番だと執拗に迫ってくる。殺人の鍵になるライターは、ガイを脅す重要なアイテムになる。見せ場は、ブルーノが、ガイのライターを下水溝に落としてしまう件《くだ》りで、ライターは鉄格子の下の途中の段にひっかかる。手を伸ばしてライターを拾おうとするが、やっと指の間に挟んだと思ったら、また下の段に落としてしまう。ガイのテニスの試合が終わるまでに駆けつけなければならず、ブルーノは焦りに焦るが、なかなかうまくいかない。凶悪な犯人に、いつしか感情移入させられてしまうのは、さすがヒッチコック監督の名人芸。さて、どうなるかは、映画を見てのお楽しみですが、ラスト、遊園地のメリーゴーランドでの死闘と共に評判になり、大ヒット。以後、50年代から60年代にかけて、ヒッチコックの黄金時代の幕開けとなる貴重な作品になった。

ところで、ライターとマッチの、どちらが先に発明されたか、ご存知ですか？　マッチは１８２６年、イギリスの薬剤師ウォーカーによって、薬頭（マッチ棒の先端部分）に塩素酸カリウム硫化アンチモンを使用した摩擦マッチを考案し、翌年、薬頭に黄燐を使用した黄燐マッチができたが、どんなものとでも摩擦が起きると火がつく危険性を含んでいた。19世紀に入ってから、ドイツでマッチ箱の側面にあるヤスリ状の摩擦面でマッチの薬頭を擦らないと発火しない安全マッチが完成し、現在の形となった。片や、ライターは、安永元（１７７２）年、平賀源内がゼンマイを使用した火打石と鉄を用いた刻みたばこ用の点火器を発明。つまり、マッチよりも50年以上前にライターは存在していて、これは私も知りませんでした。その後、明治39（１９０６）年に、オーストリアの化学者が現在のオイルライターの原型を完成し、改良に次ぐ改良のライターの歴史は興味深く面白いのですが、いずれにしても、ヒッチコックは、大げさにいえば一個のライターで映画人生にカムバック！

欲望の翼

〔コーラ〕

作品データ

「欲望の翼」(1990 香港) 監督・脚本／ウォン・カーウァイ　製作／ローヴァー・タン　主演／レスリー・チャン、マギー・チャン、トニー・レオン、カリーナ・ラウ (95分)

「いくら？」

「瓶込みで、20セント」

ウォン・カーウァイ監督「欲望の翼」（90）は、こんな会話から始まる。主人公ヨディ（レスリー・チャン）が、サッカースタジオの売店で、コーラを買い、売り子のスー（マギー・チャン）が、それに応じる。ヨディは、くわえたばこで冷蔵庫から、瓶コーラを取り出し、慣れた手つきで自分で栓を抜く。その動作がカッコイイ。冷蔵庫の上には、コーラの看板がかかり、脇に置いてある空き瓶には、どれにもストローがささっている。

「恋する惑星」（94）や「天使の涙」（95）「花様年華」（00）などで知られるウォン・カーウァイ監督の多彩な作品群の中でも、「欲望の翼」には特に熱狂的なファンが多く、彼の代表作として挙げられているが、中国に返還前の香港の、むせ返るような湿気の中で、コーラは単なる小道具以上の効果をあげている。義母に育てられ、心に空白を抱えたまま生きるヨディと女たちとの愛の形は、不安定だった香港の状況と交差し、独特の感性が作品の隅々にまで充満している。時代も季節も特定されていないが、部屋の中のどんよりとした暑さや、後半に出てくるフィリピンの、水滴が滴り落ちそうな亜熱帯の空気が、画面を通して、びんびんと伝わってくる。

ところで、コーラは、いつ頃から作られたのだろうか。記録によれば、南北戦争後のアメリカでは、薬剤師が薬草やアルコールを基に、独自の万能薬を作り、帰還兵たちに売っていたそうで、ジョージア州の薬剤師ジョン・S・ペンバートン氏が、「奇跡の植物」として注目されていた「コカ」を使い、ワインにコカの成分を溶かし込んだ飲み物を開発したのが始まりらしい。「コカ」とはコカの葉から抽出したコカインの成分を指し、アルコールとコカインが組み合わされることで、うつ症状に効き目があるとして人気商品になった。しかし、欧米で巻き起こっていた禁酒運動の余波で、ペンバートン氏の飲料も非難の対象になってしまう。当時、コカインは麻薬と考えられておらず、酒の方が問題視されていたが、ペンバートン氏は禁酒中でも飲める飲み物を模索し続け、1886年にコカ・コーラを完成する。この時に、コーラ原液を水と間違えて炭酸水で割るというラッキーな偶然が重なったこともあり、大ヒットしたとか。

しかし、誰でも手に入る国民的飲料に、コカインが入っていることで、不安感が高まり、1903年に、コカ・コーラから正式にコカインは除去された。当時、コカインは法律上では合法で、アメリカでコカインが禁止されたのは、1922年。もちろん、現在のコーラに、コカインは含まれていません。

ちなみに、コカ・コーラと共に、日本で知られるペプシ・コーラを発明したのは、やはり薬剤師のキャレブ・ブラッドハム氏。主にコーラナッツや、バニラビーンズを原材料とし、消化不良の治療薬として開発されたとか。当初は、〝Brad's Drink〟(ブラッドの飲み物)と呼ばれ、後に消化酵素のペプシンを含んでいることから、ペプシ・コーラという名称に変更。現在、コーラのレシピの詳細は、どちらも非公開扱いで、原材料は糖類、炭酸のほか、カフェイン、酸味料、カラメル色素、その他（この、その他がミソかも）とされ、薬としての要素は一切ないそうです。

なお、現在はペットボトルや缶で売られているけれど、一昔前は「欲望の翼」でも描かれているように、独特のデザインの瓶が主流でした。デビッド・バトラー&リンダ・ティシュラー「コカ・コーラ流100年企業の問題解決術」（15／早川書房）によれば、コカ・コーラ社の成形工場の監督、アール・R・ディーン氏が、カカオの実のイラストを見たことがヒントになり、「マスクメロンのように全体にねじれ模様が入り、カボチャのような溝があり、真ん中にへこみがあり、上にはヘタがある瓶を作れないか」と開発したことから、ボトル・デザインが出来上がったとか。

2008年には「The Coca-Cora TVCF Chronicles」（ザ・コカ・コーラTVCFクロニクルズ）として、日本の歴代TVCF、60年代から80年代までのものを84本収録したものがDVD化。加山雄三や、ピンキーとキラーズ、矢沢永吉、松山千春、グレン・キャンベルらが歌うレアな映像は、そのまま「昭和芸能史」として見ることもでき、懐かしさに、むせび泣きさせられます。特典として、ミニボトルも封入され、大好評で、翌09年には、80年代から99年迄のCF75本を収録したパート2も発売。肖像権の問題もあり限定発売されたこのDVDは現在入手困難状態で、この2枚のDVDは、今や私の宝物です。〝スカッとさわやか、コカ・コーラ！〟。

マダム・マロリーと魔法のスパイス

〔スパイス〕

作品データ

「マダム・マロリーと魔法のスパイス」(2014 アメリカ) 監督/ラッセ・ハルストレム、製作/スティーヴン・スピルバーグ　主演/ヘレン・ミレン、マニシュ・ダヤル、オム・プリ、シャルロット・ルポン (122 分)

自宅の近所に行きつけのカレー屋さんが3軒あり、最近も、新規開店のお店が1軒増えてカレー好きの小生にとっては喜ばしいこと、この上ない。しかも、どの店もチェーン店ではなく、個人営業に近く、味わいも微妙に異なるどころか、大胆に違っているのは、やはりスパイスの違いなんでしょうか。などと考えて、スパイスについての映画はないだろうかと探してみたら、ありました。「マダム・マロニーと魔法のスパイス」と題名にもなっているし。

原作は、リチャード・C・モライスのベストセラー小説。ヒットメーカー、スピルバーグが製作し、監督は「マイ・ライフ・アズ・ア・ドッグ」(85)や「ギルバート・グレイプ」(03)「サイダーハウス・ルール」(99)の名匠ラッセ・ハルストレム。劇場公開時に見ていて面白かったけれど、DVDで久しぶりに再見して、細部まで、よく練り上げられていることに改めて感心させられました。

舞台は南仏の田舎町。マダム・マロリー(ヘレン・ミレン)の経営するフレンチ・レストラン〝ル・ソール・プリョルール〟は絶品の味と穏やかな雰囲気で定評のある老舗の店ですが、そんなある日、通りを隔てた真向かいに、賑やかな音楽とスパイスたっぷりのインド料理を提供するド派手なレストラン〝メゾン・ムンバイ〟が新たに開店。全く異なる価値観を持つ店同士は、ことごとく対立するけれど、〝メゾン・ムンバイ〟の店主の息子ハッサン(マニシュ・ダヤル)が、亡き母から譲り受けた〈魔法のスパイス〉と、ハッサン自身の持つ天才的な料理のセンスが、次第に両店主の頑なな心を溶かしていく。

とにかく、画面に登場する料理の美味しそうなことといったらない。フランスとインドから専門家を呼び、劇中の料理は、フランス料理はフロイド・カルドス、インド料理はアニル・シャルマという当代一流のシェフが、撮影につきっきりで監修しただけあって、見ているだけで涎が出てきそう。劇中でハッサンが最も得意とする料理は、ジャレビといい、発酵させた豆と小麦粉を混ぜて油で揚げたものだそうだが、これも食べてみたい。そして、ハッサンが、マダム・マロリーの心をつかまえる契機となる料理が、オムレツというシンプルな一品であるのが、またニクイ。

舞台となる通りを隔てた対照的なふたつの店の佇まいも実に見事で、映画の成功の大きな要因になっているが、DVD特典映像のスタッフの証言によれば、「何度も映画の撮影に使われているプロヴァンスなどは、あえて避け、典型的な無名の田舎町に決め、〝ル・ソール・プリョルール〟は、20世紀初頭に建てられた邸宅の外観をベースに、室内の一部はセットで撮影した」とか。〝メゾン・ムンバイ〟は、その向かいにある土地の持ち主の了解を得て、映画のために建てられたセットとは、とても思えない立派な建物だが、劇中でも放置された廃屋を改装して開店したという設定だから、ちょうどいいのかもしれない。

映画を支える要となるマダム・マロード役のヘレン・ミレンは、67年ロイヤル・シェイクスピア・カンパニーに入団。「キャル」(84)と「英国万歳!」(94)で、カンヌ国際映画祭主演女優賞を2度受賞。「クイーン」(06)でエリザベス女王役を演じて、アカデミー賞主演女優賞を受賞し、エミー賞を4度、さらに2015年にはトニー賞を受勲しているので、映画、演劇界の3冠王を達成した名優だ。2003年12月に、大英帝国勲章を受賞したので、デイム敬称を冠し、デイム・ヘレンあるいはデイム・ヘレン・ミレンと呼ばれている。それほどの名優であるのに、「RED／レッド」シリーズ（10、13）や「ワイルド・スピード」シリーズ（17、19、20、21）などの娯楽アクション大作にも積極的に出演を申し出て大活躍している。

映画の中でも重要な位置を占めているスパイスの歴史は古く、エスビー食品監修「ハーブとスパイスの図鑑」（13／株式会社マイナビ刊）によれば、「古代エジプトでは、シナモンやクローブを遠い国から取り寄せてミイラ作りに活用し」「ピラミッド建設にあたっては、労働者たちが強壮剤のようにニンニクを食べていた」というから、人類の歴史と共に存在したといってもいいほどで、「肉食中心のヨーロッパ人にとって、東洋のコショウはスパイス貿易の中心であり、コショウ一粒は銀貨一枚、一握りは牛一頭と同等の価値があった」というから、すごい。「マダム・マロリーと魔法のスパイス」では、肝心のスパイスは秘伝になっていて、具体的な名称は挙げられていないが、国籍も文化も歴史も異なる人々をつなぐ架け橋として描かれているので、スパイス好きの人には必見の一作です。

それから

〔ラムネ〕

作品データ

「それから」（1985 日本）監督／森田芳光　原作／夏目漱石　脚本／筒井ともみ　主演／松田優作、藤谷美和子、小林薫、笠智衆、中村嘉葎雄、森尾由美、草笛光子、一の宮あつ子、イッセー尾形、川上麻衣子（130分）

幼い頃は夏が来ると、ラムネを飲めるのが嬉しかった。あのガラスのビー玉が入った瓶が子供心にも珍しかったのか。ラムネが出てきて印象深い映画といえば、夏目漱石原作、森田芳光《よしみつ》監督「それから」（85）を思い出す。

「それから」は、71年に筑摩書房から刊行された明治文學全集の「夏目漱石集」に収録されている猪野謙二氏の解題によれば「明治から大正にかけての、高度な近代的教養と富裕な生活環境に恵まれながら、またそういう條件のゆえにいっそうその孤独やエゴイズムの自覚に悩まねばならぬ、新しい知識人の内面的倫理的な生活の追求であった」そうだが、具体的には、仕事に就かず、結婚もせず、実家からの送金で優雅に暮らす高等遊民の代助（松田優作）と、その友人平岡（小林薫）、彼の妻であり、代助とも因縁のある三千代（藤谷美和子）の三人を軸とした物語であり、しだいに三千代に惹かれていく代助が、平岡の留守中に、三千代を訪ねる場面でラムネが登場する。コップに注がれたラムネを飲む代助に向かって、三千代は「寂しくていけないから、また来てちょうだい」と言い、瓶から直接ラムネを飲み干す。三千代の息がラムネの瓶に反響し、コロンというビー玉の音がふたりの間柄に弾みをつけているようにも聞こえる。有名な白百合の花を生ける水を、三千代が飲む場面と並んで、官能的な場面だが、原作にラムネは出てこない。森田監督独特の演出なのだが、そもそも明治時代にラムネは存在していたのだろうか。

ラムネは英語のレモネード（lemonade）が、なまったもので、あのビー玉が詰められた特徴のある瓶も含めてラムネと呼ばれるようになったらしい。最初は、ハイラム・コット氏（1838〜1887）によって、イギリスで発明されたが、日本に伝わったのは、アメリカからペリー提督が浦賀に来航した際、艦上で交渉役である江戸幕府の役人たちに振る舞われた時だという。この時、栓を開ける「ポン！」という音を銃声と勘違いした役人たちが思わず刀に手をかけたというエピソードが伝わっているが、ラムネの音が原因で歴史が変わったかもしれないと思うと面白い。

そして、1865（慶応元）年に、日本で初めて長崎で製造販売され、レモン水の名前で店頭に出たが、その名称は広まらず、ラムネの呼び方で一般化された。当初はコルク栓が使われていたが、コルクが高価なことと、時間がたつと炭酸が抜けやすいということから、密栓ができる容器として、ビー玉が使われるようになったとか。明治の末では気軽に喉を潤す飲み物として、庶民の間で人気があり、サイダーと並んでハイカラな存在だったのだろう。

学生時代に漱石先生の原作を読んだ時には「代助と三千代の道ならぬ恋の物語」として読んでいたが、半世紀ぶりに改めて再読すると、「代助と実家との相剋を描いた物語」であることが分かる。つまり、偶数の章では、代助と三千代、そして平岡との関係が、奇数の章では、代助と実家との関係が交互に描かれているのだ。明治の世相を背景に、ふたつの物語が進行し、長井家が静かに崩壊していくというポイントを映画も外してはいない。

森田芳光と松田優作が初めて組んだ「家族ゲーム」（83）は、あらゆる映画賞を独占したが、そのコンビの次回作はぎりぎりになっても題材が決まらず、松田優作が「胸がしめつけられるような恋愛ものをやりたい」と言ったことから、それなら漱石原作の「それから」だと森田監督が提案し一気に実現したという。「家族ゲーム」に続いて、キネ旬ベストワンを受賞し、再び国内の主要な映画賞を独占。森田監督は文藝作品も斬新に撮れる才人として認知され、松田優作も、アクションスターからのイメージチェンジに成功する。しかし、１９８９年11月に松田優作が膀胱癌のため、40歳の若さで急逝し、この名コンビの３作目は幻に終わってしまった。日本映画史の大いなる損失だったと言わざるを得ない。

ところで、ラムネに関して面白い文章を見つけたのでご紹介すると「飲み物ではラムネが懐かしい。ラムネは水平で持って飲んではならない。これでは中のガラス玉が意味をなさないことになる。仰角八度、このあたりが正しい」。東海林さだお氏の名エッセイ「タクアンの丸かじり」(91)の中の一節で、どう正しいかは、ぜひ、この本を読んでみてください。「それから」で、ラムネがどう飲まれていたか、比べてみるのも一興。全盛期である１９５３(昭和28)年の全国生産量は当時の炭酸飲料の約半数を占めていたそうだが、現在は、その５分の１程度とか。それでも「夏の定番ドリンク」として、ラムネは私の中では不動の位置にあります。

セント・オブ・ウーマン／夢の香り
〔香水〕

作品データ

「セント・オブ・ウーマン／夢の香り」（1992　アメリカ）　監督・製作／マーティン・ブレスト　原作／ジョヴァンニ・アルビーノ　脚色／ボー・ゴールドマン　主演／アル・パチーノ、クリス・オドネル、ガブリエル・アンウォー、フィリップ・シーモア・ホフマン（157分）

副題である「夢の香り」の意味が、映画を見終わった後で、よりいっそう、心に響いてくる。「香り」が映画の中で重要なポイントになっているからだ。

名門ベアード高校に奨学金で通っている学生チャーリー（クリス・オドネル）は、ひょんなことから、休暇中に全盲の退役軍人スレード中佐（アル・パチーノ）の世話をすることになる。かつてはエリートだった中佐は、事故で失明したことにより、人生に悲観し、自暴自棄になっているが、気位の高さだけは保ち、それによってさらに周囲から隔絶し、孤独な日々を送っている。チャーリーは、気難しい彼と、ニューヨークへの旅を共にするが、年齢の離れたふたりは、お互いに相容れない。だが、旅の過程で、ふたりの関係は徐々に変化し、自分たちの人生を見つめ直して、新たな希望を見出すようになる。

スレード中佐は、自ら「何よりも女性が好き。女性の次に好きなものはフェラーリだ」と公言するが、視覚を失った彼は、研ぎ澄まされた嗅覚で、旅の途中で出会う女性たちと香りを介して、ふれあうのだ。最初は、ニューヨーク行きの飛行機で出会う客室乗務員ダフネの香水を〝フローリス〟と言い当て、彼女の心を和ませる。〝フローリス〟は、270年の歴史を持つブランドで、英国王室御用達の香水。そして次に、旅の途中で立ち寄った中佐の兄の家の感謝祭のパーティーで、甥の妻が身につけていたのが〝ミツコ〟。フランスの香水ブランド、ゲランの代表作だが、中佐は「満たされない女性が付ける香り」と言ってしまい、気まずい雰囲気になってしまう。

劇中の最も大きな見せ場で、香りは効果的に使われる。名門ホテルのラウンジで出会った若い女性ドナ（ガブリエル・アンウォー）は、アメリカの自然原料によるハンドメイドソープメーカー〝オグリビーシスターズ・ソープ〟をつけている。祖母から贈られたという、この石鹸を使っているドナを誘い、中佐はパートナーとして見事なタンゴを踊ってみせる。タンゴ・プロジェクトによる「ポル・ウナ・カベサ」をバックにした、このダンス・シーンだけでも、映画史に語り継がれる名場面として人々の記憶に残るのは間違いないだろう。

ラストで、中佐に声をかける女性教授が身につけていたのは、フランスの香水ブランド〝フルール・ドゥ・ロカーユ〟で、〝岸辺の花〟という意味。香水の匂いと同時に、中佐は彼女を「身長は170㎝、髪は赤褐色、美しい茶色の目」と言い当て、「この香りで、いつでも、あなたを探せます」と呟き、絶妙の余韻を残す。中佐が旅を通じて、内気なチャーリーに人生教育を施し、それと同時に自らも外の世界に心を開いていくわけだが、香りが映画全体の重要な彩りになっているのは、言うまでもない。

イタリアの作家ジョヴァンニ・アルビーノの原作小説は、実は本作以前に一度映画化されている。イタリア映画「女の香り」（74）で、名優ヴィットリオ・ガスマンが、退役軍人を演じ、その年のカンヌ国際映画祭で男優賞を受賞している。この「セント・オブ・ウーマン／夢の香り」（92）は、「ビバリーヒルズ・コップ」（84）のマーティン・ブレスト監督、脚本ボー・ゴールドマン（「カッコーの巣の上で」（75）、「メルビンとハワード」（80）で、アカデミー脚色賞を2度受賞）のチームで、第65回アカデミー作品賞、監督賞、主演男優賞、脚色賞にノミネートされた。

アル・パチーノは、それまで主演男優賞に「セルピコ」（74）「ゴッドファーザーPARTⅡ」（75）「狼たちの午後」（76）「ジャスティス」（80）と4度もノミネートされたが、いずれも叶わず、この作品で悲願だった受賞に至る。主演男優賞に同時にノミネートされていたのは、クリント・イーストウッド（「許されざる者」（92））、デンゼル・ワシントン（「マルコムX」（92））、スティーブン・レイ（「クライング・ゲーム」（92））、ロバート・ダウニーJr.（「チャーリー」（92））と強者揃いで、パチーノも、さぞかし嬉しかっただろう。ちなみに、彼は同じ年の「摩天楼で夢見て」（92）でも助演男優賞にノミネートされ、2部門で争うという快挙を成し遂げた。この年の助演男優賞は、「許されざる者」のジーン・ハックマンだった。

後日のインタビューで、パチーノは「全盲の役で、演技開眼を認めてもらったんだから、アカデミー賞も粋な計らいをしてくれたものだ」と喜びの発言をしている。最近でも彼はリドリー・スコット監督「ハウス・オブ・グッチ」（21）で、アルド・グッチ役を演じ、俳優としてますます健在ぶりを示している。

巻末特別対談

俳優 **柄本明** × 映画評論家 **野村正昭**

「一番の嗜好品は人間かも!?」

── というわけで、映画の中の嗜好品について書いてきましたが、私自身の最大の嗜好品といえば〈映画〉そのものであり、それに関わる〈人間〉に尽きるなあと痛感する次第で、その代表であり、近年いろいろお世話になっている俳優の柄本明さんに登場していただき、特別付録として、映画について語っていただいた。柄本さん、どうもありがとうございます。それでは、ヨーイ、スタート！

柄本明

1976 年劇団東京乾電池を結成。座長を務める。
1998 年「カンゾー先生」にて第 22 回日本アカデミー賞最優秀主演男優賞を受賞。
以降、映画賞をさまざま受賞。映画のみならず、舞台やテレビドラマにも多数出演し、2011 年には紫綬褒章を受章した。2015 年には第 41 回放送文化基金賞 番組部門『演技賞』受賞。2019 年には旭日小綬章を受章。

映画との出会い

野村（以下、N）：今回は「映画と嗜好品」というテーマの書籍ですけれど、映画はいちいち嗜好品を気にかけて見るものでもないので、ざっくばらんにいつものように映画のお話をさせていただければと。とはいえ、柄本さんにとってはやっぱり「映画」とか「演劇」が一番の嗜好品になるのでしょうが……。映画「海外特派員」（40）のジョージ・サンダース（俳優）の名前がスラッと出てくる方は、プロの映画評論家でもなかなかいないですから（笑）。

柄本さん（以下、E）：「イブの総て」（50）にも出てましたよね。

N：あれも出てますね。やっぱり、柄本さんはあの時代のアメリカ映画がお好きなんですか。

E：うちの両親がね、ずっと映画の話ばっかりしているような家だったんで。戦争に負けてアメリカ映画がワーッと来た時代だったからねぇ。だから小ちゃい時からずっと、映画の話を聞いていて——そうすると見てもいないのに、見た気になっちゃうんだよね（笑）。とにかく、そんな家だった。それが、自分の子供たちにも続いちゃってる。

N：家風として受け継がれちゃった（笑）。

E：僕自身は映画に憧れて俳優になったとかというよりも、純粋に映画が生活の一部っていうか、家の一部っていう感覚だったからね。

N：じゃあ、ご両親と一緒に映画館へ？

E：いや、家族じゃ行かなかったですね。小学1年生からひとりで。当時、下井草に住んでいて。近くに野方映画でしょ？　西武坐、沼袋映画、新井薬師東映、それと薬師日活、ちょっと頑張れば武蔵関の映画館があってね。

N：今はどこも跡形もないですけど。

E：ないですね（笑）。

N：封切り館ではなくて、あえて名画座で。

E：そうですね。中野には行ったかな。でも大体野方・沼袋・新井薬師。みんな3本立て、2本立てとかで。多かったのは日本映画。最初はやっぱり錦ちゃん（萬屋錦之介）映画ですから。「一心太助」（58）とか。「新諸国物語 笛吹童子」（54）とか。

N：東映映画が、一番全盛期の頃ですよね。僕なんか田舎に住んでいたんで、学校の規則で子供だけで映画見ちゃいけないっていう。OKなのは推薦映画だけでした。

E：「フランダースの犬」（60）とか？

N：「東京オリンピック」（64）とか「黒部の太陽」（68）とか。団体で見に行かされました。そういうのは僕ら世代が最後だったんでしょうけど。柄本さんはガンガン通われて見てらしたんですね。

E：そうですね。土曜や日曜に、百円玉もらってね。映画の子供料金が50円、コッペパンが10円で買えて、それにバターとかジャムで5円取られて15円。電車賃が往復で10円で、全部で75円。あと25円で牛乳か買ってたかな。そんな感じですね。丸一日いて良かったから、多い時は3本立てを5本見たりとかね。

N：はぁー！

E：人気のやつだと席が取れなくて舞台に登って見てね。スクリーンの間近。錦之助さん一筋でしたねー。でも、家にあった映画雑誌はね、「映画ファン」「映画ストーリー」「映画の友」「近代映画」……

N：「キネマ旬報」が出てこないですね（笑）。

E：「キネ旬」は、うちにはなかったですね（笑）。親がアメリカの娯楽映画が好きだったから。だから「キネ旬」に気がついたのは遅かった。中学とかになってから、徐々にね。高校になって、池袋にあった人生坐に行ったのかな。

N：あ、はい、ありましたねー。

E：で、人生坐で「第三の男」（54）を見てね。なんだろうな。初めてなんかこう芸術映画に出会った、みたいな感覚になりましたね。それまで映画って、楽しくて面白いものみたいに思ってたから。

N：ちなみに、少年時代に受けた錦ちゃんの影響で時代劇にたくさん出ていらっしゃるとか、そういうのはあるんですかね？

E：いや、それはそういう仕事が来たからやってます（笑）。お呼び頂ければね。

N：そうですか。いや、最近立て続けに時代劇に出演されているなぁと。今、ちょうど「身代わり忠臣蔵」（24）やってますし、これから公開の「鬼平犯科帳・血闘」にも出てらっしゃるし。あと来年（2025年）公開の「室町無頼」も。

E：「身代わり忠臣蔵」は見ました？

N：ええ、拝見しました。

E：（爆笑）

N：え〜、なんで笑うんですか？ ちなみに、柄本さんは？

E：僕は見てないです（笑）。

N：そうなんですか。（出演作品は）あんまり見ないタイプですかね。

E：いや、どうしようかなって考えるんですけどね。でも、見ないことが多いです。テレビのやつも見てないな。

N：そうなんですね。にしても、「室町無頼」はすごい格好で出ておられましたね。

E：まぁね。そういう仕事です（笑）。

N：「鬼平」には（次男の）時生さんも出られてましたが、共演する場面はあったんですか？

E：絡みは特になかったかな。でも、「鬼平」はあれなんですよ。時生が演じた役は、吉右衛門さん版（89〜90・第1シリーズ）で僕がやっていた役なんですよ。小野十蔵という役で。僕の時は「むっつり十蔵」という呼び名で。今度の時生は何十蔵って言ったかな。でも、あれですね、時代劇は大好きですね。やっぱり京都で時代劇っていうのはすごく嬉しいですね。

京都撮影所の逸話

N：昔、僕も東映に勤めていたことがあって、仕事で京都に行くと結構怖かったのを覚えています。「敵が東京から来た！」みたいな感じで。今はそんなことないんですけど——。

E：あら、なんでですか？

N：僕は「里見八犬伝」（83）の時にずっといたんですけど、本当に中学生みたいに、靴を隠されたりとかね。ある役者さんと一緒に「早く東京に帰りたいね」って。その前はもっとひどくて、志村喬さんがテレビの仕事で京都に行ったら、黒澤明の回し者だっていうんで、レギュラーを途中で降ろされちゃったっていう話もありますよね。

E：ええ、あんな大名優が——？　……それだけ映画に力があったし、時間があったんでしょうね。人をいじめる余裕というか。

N：あの頃、東京から京都に行って、うまく馴染んだ方って深作（欣二）さんくらいだったんじゃないですかねぇ。深作さんは「仁義（なき戦い）」の時に、バリバリに強権発動して手懐けちゃったっていう逸話が。それ以外は皆さん、大なり小なり何かしら。

E：ああ。サクさんねー。

N：柄本さんは「道頓堀川」（82）とかで深作さんとはご一緒されてますよね？

E：そうですね。それだけですけど。

N：日本の監督とはたいがいお仕事されていて、逆にされてない方を見つけるのは難しいような。日活時代から考えれば、ビンパチ（藤田敏八）さんとか、今平（今村昌平）さんとか。

E：あと新藤（兼人）さんとかね。小沼（勝）さんとかも。一番最初は山本晋也さんでした。「赤塚不二夫のギャグポルノ・気分を出してもう一度」(79)っていう。

N：ですね。あの頃はまだ日本映画が量産されていた時代で。

E：そうですね。「二代目はクリスチャン」も2本立てだったかな。

N：澤井（信一郎）さんの「早春物語」とでしたね。ストリップ劇場の絡みのシーンの撮影を見に行った時に、柄本さんがいらしたの、覚えてますよ。そこカットされちゃって。あれ、ないんだぁみたいな。

E：え、あの時、野村さん、いたんですか。

N：はい。取材で見学させてもらったりしていました。でも、だいぶ後になって、呉美保《おみぼ》さんが「オカンの嫁入り」(10)で京都に行ったたっていうから、湯布院で「大丈夫でしたか？」って聞いたら、「いや、みんないい人ばっかりですよ」って。時代は変わったんだなと思いましたね。

E：でも、なんだろう。何かそこに妙なエネルギーがね、できていたような気もします。

N：そうですねぇ。でも、そういう意味では自分も麻痺していたかもしれないですけどね。今回の連載を読み返してみて、アメリカ映画でもめちゃくちゃなことは結構たくさんあったんだなっていうのがわかって。「カサブランカ」なんてすごいですよ、舞台裏が。脚本がなかったとか。

E：え⁉ 脚本がないの？

N：はい。その場で書いて渡すという状態だったと。

E：えーと、ボガートとバーグマンですよね。

N：はい。ボガートが「このシーンはどういうふうにやればいいんだ」って監督に聞くと、「いや、ただ右から左に歩いてくれればいい」って言われたりとか、お金がなくなっちゃって、最後の飛行場のシーンは張りぼての小さい飛行機なんですけど、それを大きく見せるためにアメリカ中から低身長の人たちを集めてきて、整備員の格好をさせたり。それでも無理があるから、スモーク焚いてごまかして、それが効果として良かったとか。そういう話が結構多くて。バーグマンなんか、あれがアカデミーで賞をもらってびっくりしたって。

E：面白いなぁ。やっぱり、見てる方はかいかぶってるもんだね（笑）。あれ、作品賞ですか？

N：作品賞と監督賞です。監督はマイケル・カーティスですね。本人も驚かれたらしいです。

E：面白いですねぇ。

N：まぁ、アメリカ映画ってそういう話が結構出てくるんで、日本映画でもあるんでしょうけどねぇ。（アルフレッド・）ヒッチコックでも、（フランク・）キャプラでもそういうことはあったんだろうなぁと。柄本さんの出演作で、「こんなに評価高くなっちゃったんだ！」みたいな作品はあるんですか。

E：まあ、いろいろですよね。でも自分が出ている作品って結構わかんなかったりします。客観的になれないっていう。だから、見るのが嫌なのかもしれない。出来上がりすぐっていうのは、なんだろうな。けなすわけにもいかないしね（笑）。だから、その映画を撮って、3、4年経って、それで早稲田松竹の前を歩いていたら、「あれ、俺が出てる映画かな」っていうんでフラッと入りたいなと。そういうのがいいなって思いますけどね。

N：にしても、あれだけたくさん出られてるんだから、いろいろと面白い話がおありなんだろうなって思いますけど。

E：まぁね（笑）。あ、山田大監督にはしごかれましたねぇ。

N：ああ、山田洋次さん。

E：最初は気に入られたのかなって思ってたんだけどね。メンバーが渥美（清）さん、淡路恵子さん、竹下（景子）さん、俺ですから。まぁ、俺もよくないんだ。

N：そうなんですか？

E：よくないのよ。ほんとに。もうちょっとね、ちゃんと考えなきゃいけなかったんだけど。やっぱり、うまけりゃ言われないのよ。下手だから言うの。

三國連太郎という俳優

N：ちょっと前になりますが、三國連太郎さんが亡くなる前に本を出されて、「風狂に生きる」（99／岩波書店刊）っていう。全作品のことについて語ってらっしゃるんですけど、とにかく面白くて、ああいうのを柄本さんも出されればいいのになぁ。三國さん、結構言いたい放題で（笑）。

E：へぇ、いいね。いやぁ、読みたいな。

N：今度お貸しします。なんか、映画によっては「これ、僕が出てるんですか？忘れました」っていう一文だけとか。あと、伊丹十三さんのことがすごくて。

E：ああ！ね！

N：「大病人」（93）について、「僕は彼を多少かいかぶってしまった」って。車に乗るシーンでカメラマンと三國さんともう1人の役者さんだけしか乗れなかったシーンがあって。唯一そこだけが、三國さんが「用意、はい！」ってかけるショットで、あの映画で息が抜けたのはそこだけでしたって（笑）。なかなか面白かったです。

E：三國さんはやっぱり「カンゾー先生」の100テイクですよね。

N：ああ！すごかったらしいですねぇ。その時は側で見てらしたんですか？

E：その日が僕の入りで、（最初は）他の役だったんですよ。世良公則さんがやった役を僕がやる予定だったから。だけどね、基本的に、最初からあのキャスティングには無理があったんだって。僕と三國さんが同級生ってことないじゃない。僕と三國さんと、唐十郎さんと、ね。

N：はい（笑）。

E：僕と唐さんだったらば同級生はあるかもしれないけど。やっぱり三國さんとはね。唐さんだって僕より上ですしね。だから、ちょっと冷静に考えてみたら「これないよ」っていう感じだったんだけど、始まっちゃったから。

N：はい（笑）。

E：僕が入った時点で撮影は1週間ぐらいやってたかな。岡山の牛窓っていうところで。そこでみんな合宿生活みたいなね。それで僕は最後の方にちょこっと出てくるんですよ。で、その前は三國さんと他の方のね――金内喜久夫さんだったかな。三國さんが役所みたいなところへ文句を言いに行くみたいなシーンをやっていて。それで、最初の予定ではそこを午前中に撮っちゃって、で、次、現場移動して他のシーンっていう話だったんですよ。……終わらなくてね。三國さん、セリフが出てこないんですよ。で、僕は、オフ声でスタンバイして。最初はね、僕もまぁ気楽にね、「セリフ出てこねぇなぁ」なんてやっていたんだけど、20を過ぎ、30を過ぎ、それで結局昼食が入ったりなんかして、もうだんだんね、なんだろうな。でも、監督の声は変わらないんですよ。低い声で「よぉい、スタート」って。

N：（爆笑）

E：また、監督、声がいいんですよ。若い時はもっといい声だったんだろうなって。車椅子で「よぉい、スタート……」ってね。でも三國さんは止まっちゃう。そうすると、何かスタッフが手直しみたいなことをするじゃないですか。でも、大して直すことなんてないんだよね。それで、どんどん、どんどん、緊張感が増してね。本当にいたたまれない。だから最初は俺もなんか「あれあれ？」なんて思ったのが、明日は我が身みたいな……。「この仕事もなぁ……」みたいな気持ちになっちゃってね。

N：はぁ（笑）

E：もうね「オフ声を間違ったらどうしよう」とか、「おい、赤城」って言うだけなんだけど。だんだんそれが迫ってくると——（笑）。

N：恐怖が（笑）。

E：結局、その日は一日そこでやって、97回かな。後で紅谷（愃一）さんが、なんか監督のところに行ったそうですね。「監督あれでいいんでしょうか？」って（笑）。で、次の日ですよ。……やっぱり、セリフが出てこない。

N：はぁあ。

E：その日は、僕も交じって喋っているようなシーンだったんだけど、止まっちゃうんですよ。すると監督が助監督に指示して、カンペを貼ったんですよ。俺、これはまずいなぁって思ってね。出てこなくても、やっぱり、だからと言ってカンペを貼るのは——。で、その時は30いくつぐらいまでいったのかな。最後のテイクで、1回だけ監督、大きい声を出したの。「いよおぉぉい、すたぁぁと！」って。でも、やっぱり止まっちゃって。で、「撮影中止……（渋い声で）」って（笑）。

N：ハァア。それはそれは。

E：俺は、助監督の運転で東京に戻ったんだけど、「いやあ、この映画、大変なことになっちゃったねぇ」なんて、どうすんだろうと思ってね。そしたら次の日に、来たんですよ（オファーが）。いや、まぁ、やっぱり驚きましたよね。まぁ、でも、やらさせていただきました（神妙に）。

※「カンゾー先生」は当初、三國連太郎氏が主演だったが、途中でその役を降板。別の配役だった柄本氏に主演が交代した。

N：へぇぇ！

E：なんですかね（笑）、三國さんってね。僕、三國さんと芝居してるんですよ。「ドレッサー」（89）っていう舞台で、シェイクスピア役者とその付き人役で。

N：ああ！　ええ。映画にもなりましたよね。ガッツリ組まれるお芝居ですよね。

E：そうそう。ガッツリです。それでその「ドレッサー」やる前にね、三國さんがね、俺に挨拶してくださって。「僕は、お芝居の方は素人なもんで、よろしくお願いいたします」って。

N：（爆笑）。

E：そういうことを言うんだよね（笑）。なんなんですかね、プレッシャーをかけてるのか、かけてないのかも良く分からないけど――。それでね、最後、その「ドレッサー」という芝居の中で、シェイクスピア役者が亡くなっちゃうんですよ。それを付き人が見つけて、「あぁぁぁ！」ってなるっていう流れで。

N：えぇ（笑）

E：で、死んでるはずなのに、「え゛え゛っ」「グォ、ゲホッ」って。明らかに咳払いをしてね。で、後からね、「柄本さん、あの、すみません。僕、今ちょっとあの咳がどうも、止まらなくって、申し訳ない」って言ってね（笑）。別に腹は立たないんだよ。僕も、なんかそう言うのは面白いなと思う方だし。でも、怒る人は怒るでしょうね（笑）。まぁ、そもそも三國さんに怒れる人がいるかっていう問題なんでしょうけど。

N：昔、三國さんが「釣りバカ日誌」撮られている時、最後の方だったと思うんですけど。大泉で撮ってたじゃないですか。で、たまたま、何かの合間に三國さんとふたりだけになっちゃって。そしたら窓の外で、仮面ライダー撮ってて。三國さんがボソッと、「いやぁ、僕もいろんな映画に出ましたけど、ああいう映画だけは出たことがありませんねぇ」って。「三國さんが出たら別の映画になっちゃうよ」って「よく言うなぁ」って心の中で思いましたけどね(笑)。その言いようがすごくおかしくて。

E：なんですかねぇ(笑)。「カンゾー先生」の後、三國さんが、新藤さんの映画に出て。

N：ああ、はい。「生きたい」(99)ですね。

E：大竹しのぶちゃんなんかも出てて。それでまた、一緒になったんですよ。「カンゾー先生」以来。別に僕と三國さんの仲が悪いわけじゃないけど、まぁ、なんかね。「カンゾー先生」の時のことがあるから「三國さん、大丈夫かなぁ」なんて思って現場に行ったら、ペラッペラ喋ってやがんの。もっと長いセリフ。「カンゾー先生」の時も、あれじゃないですかね。海千山千の両巨頭でしょう。だから、また三國さんも三味線ぶっこいてたのかなーなんて思ったんだけど。それに、今平さんと三國さんの関係でいうと古いじゃない。で、三國さんは今平さんのこと、大好きでしょう。でも、カンゾー先生っていう役に関しては解釈がちょっと違うって感じてたんじゃないかしらねぇ。とにかく、新藤さんの現場ではもう本当にペラペラ喋ってて。「このヤロー」ってね(笑)。本当はそんなこと言えないけど。シャーシャーしてやんなぁって(笑)。

N：僕もその時に、新藤さんの現場にちょこっとお邪魔したりして、三國さんともお話して。「新藤さんの映画は大昔に一本出られてますけど、久しぶりですよね。ご縁がなかったんですか?」って聞いて。「僕は新藤さんの映画大好きなんだけど、太地(喜和子）くんと付き合ってたんで、遠慮してたんですよ」って。さらっとそういうこと言っちゃうんだなって。

相米慎二の思い出

N：柄本さんは相米（慎二）さんとかもね、色々お付き合いがあってらして。今生きてらっしゃると、本当にいいのになと思いますけどね。

E：ねぇ。僕と同い年でしたからねぇ。相米さんは、日活ロマンポルノの時に――そんな話もしましたっけ？　野村さんに。

N：いえいえ。

E：ロマンポルノの助監督してたでしょ？　その頃、うちの芝居に出ていた役者と知り合いだった相米さんが、よく来てたんですよ。まだ乾電池も人気が出る前っていうか。でもお客さんが来はじめた頃で。風体が悪くてね。髭ももじゃもじゃあって。それで、何かと偉そうなこと言うんですよ。「何あいつ」って感じでね。で彼の知り合いの役者が相米さんのことをね、ゴキブリとか呼んでたな。

N：ああ、それは有名な話ですよね（笑）。

E：俺たちも相米さんが来るたびに「あ、来たぞ」って。日活で助監督やってるみたいだよとは聞いてたんだけど。その時の印象としてはなんかヒモみたいなね。なんかそんなイメージ。そしたら、そのうちに彼が映画を撮るっていう情報が流れて。「えぇ？　ゴキブリがぁ？　映画なんか撮れんの、あいつ？」ってね、全然こっちも何も知らないんで、そんなこと言ってたんですよ。ある日、当時近所に住んでいた役者の家に、カミさん（角替和枝）と一緒に遊び行ったんですよ。で、たまたま彼もそこにいて。見たら、相米が女子中学生の写真並べてんですよ。また何やってんだ、こいつと思って――それが、石原真理子（現・石原真理）さん探しだったの。

N：あぁ、なるほどー。「翔んだカップル」（80）ですかね。

E：そうそうそう。「で、お前、誰がいい？」って聞かれて。「うん、わかんない」と。で、なんかに。「翔んだカップル」が出来上がって、それで見た時「いや、この人はもしかしたらゴキブリじゃないかもしれない……。偉い人かもしれない……」って。そんな感じでしたよ。

N：それで「セーラー服と機関銃」（81）へという感じなんですかね。

E：「セーラー服〜」の時はねぇ、芝居の打ち上げしてたらね、電話がかかってきて、直接ね。「お前、今、何してんだ」って聞かれてね。「いや、打ち上げしてるんだ」って言って。で、「これこれのスケジュール空いてるか？」って聞かれたから、「いや、わかんない」って。そしたら、なんか、呼ばれたっていう。

N：あの時、僕も割とべったり相米さんにお世話になっていたんですけど、あんなに当たるとは思わなかったんで、びっくりして。

E：野村さんから見た彼の印象ってどんな感じ？

N：いやぁ、何か不思議な人だなーっていう感じでしたね。「セーラー服〜」の初号が終わった後に、角川春樹さんにお会いして、「君はこの映画どう思う？」って聞かれたから、「いやあ、まぁ面白かったです」と答えたら、「俺はよく分からんなぁ」っておっしゃっていたのを、よく覚えています。見終わった直後は、「本当にこれでいいのかな」ってみんなもう不思議な空気でしたね。

E：僕はやっぱり相米慎二という人は、大変な戦略家だったと思います。なんかね、そんなこと俺に話したことがあるんだけど、最初の5本の映画は全部違うキャメラマン、全部違う脚本《ホン》でいくって。いろんな人に話してることかもしれないけど。結局、脚本に関しては田中陽造さんになっちゃうんだよね（笑）。でも、1本目がキティ（・フィルム）でしょう。2本目は東映で撮影は仙元（誠三）さん。3本目が「ションベン・ライダー」で、田村（正毅）さんですよ。だから、つまりそういう系譜の人を使ってやっていってるんですよね。

N：あえてそういうふうに変えていましたね。僕の相米さんの印象だと、まあ、動じないっていうか。「魚影の群れ」（83）の時にずっとね、大間に行ってたんですけど、毎日毎日、碁を指していて。碁を指しているか野球してるかどっちかで。東京から突っつかれてるのに、全くカメラ回さなくて。

E：あれ、六（長沼六男）さんですよね。

N：そうですね。なんで「魚影の群れ」を松竹で撮ることになったんですかって聞いたら、山田洋次さんが正月に「男はつらいよ」以上にお客が入った映画があるっていうんで、「セーラー服～」を見たらすごく感心して、どうしても相米監督に一本撮らせろって松竹に言って実現したっていう。多分そのの後会われて、なんか山田さんとうまく話があったみたいで。割と人たらしだったじゃないですか、相米さん。

E：それはもう、大変なね。でも、山田さんが「セーラー服～」を評価したんだ。

N：ええ。そうみたいで。もうこれは面白いって。

E：でも、何にも言わないよね。相米さんは。映画作りって祭みたいなもんじゃないですか。カメラがあって、台本があって、人が集まってきて――それで相米さんの場合は、カメラがあるぞ、台本があるぞ、お前らどうすんだみたいな感じで動き出すから、何だろう。何が始まるか分からないっていう。それで、自分の中に絶対に何かあるんだけど、絶対それを言わないいんですよ。

N：「台風クラブ」（85）でも「ションベン・ライダー」でも「魚影の群れ」でも、帰りの時にいつも「ちゃんとこれ映画になってるかな」って必ず言ってましたよね。口癖みたいに。

E：「俺は分からねぇから」ってよく言ってたじゃないですか。そうなんだと思う。絶対、きっと何かあるんだろうけどでも、やっぱり分からないんだから、分からない。でも〝分からない〟っていうのは何か、とてもいいなと思うんですよねぇ。

N：今は分かって撮ってる人が多すぎるのかもしれませんね。

分からないっていうのはいいこと

E：そうかもしれない。李相日《りさんいる》っていう映画監督、彼なんかは、自分で脚本書いたりしてますけど、あの人も現場に来て、やっぱり「分からない」っていう立場に自分を置くっていうか。だから、現場にいるとものすごくイライラするっていうかね（笑）。言葉もボキャブラリーも少なくて……でも分からないって感じなんだけど、脚本も自分で書いてるし。当然、核心的な何かはあるんですよ。でも現場に来て、セットや機材を見ると、「え？ どうなってるの？」って、分からなくなる。だから、そこから何か探しはじめるっていう。それで、李さんの中に、何かが具体的に浮かんじゃうと、今度はこっちが困っちゃうんですよ。この方向だっていうのが、言葉で説明できる人じゃないから、「もう1回」「もう1回」「もう1回」ってそういうふうになっちゃうんだ。で、逆にこっちがこうしたいのかなって分かっちゃうと、これも困っちゃうんですよ。「ちょっと違っちゃった」「ちょっと違っちゃった」みたいなことで。

N：北海道で撮影した「許されざる者」（13）とか

も大変だったらしいですね。

E：そうよ！　６時間かけて現場に行って、撮れねぇってことになって、ふざけるなよっていうね（笑）。それでね、俺ね。あるシーンの撮影を後ろから見てたんですよ。結構なロング撮影で。断崖絶壁みたいなところを、（渡辺）謙ちゃんがね、馬で走るっていう。危険な感じなんだよね。断崖絶壁に波が打ちつけて。その後、山を越えて写していくっていう。で、山が３つあるんですよ。それで１回目行った時はとにかく天気が悪くて、李さんが気に入らねぇっていうんでやめたんですよ。で、２回目、今度は撮らなきゃ駄目だって言って。でもね、３つの山のうち、１つ目の山は晴天、２つ目の山も大丈夫、でも、３つ目の山に少ーし雲がかかってたんだね。それを見ながら、俺はこれはＯＫだよって思ってたら、それでカットになって、そしたら李さんがもうこうね……黙ってね。で、「ＯＫだよ！」「ＯＫだよ！」って僕は念じてね。で、ＯＫになりましたよ。でも、そういう人がいないといけませんね。大好きですよ、癪に触るけど（笑）。

N：そうですね。周りはとても大変でしょうけど（笑）。

E：それでやっぱり「許されざる者」の時に、なんか僕が（佐藤）浩市さんに、リンチを受けるシーンがあったんですよ。大したシーンじゃないんですよ。要するになんだろうな。その言葉通り、こうやってワーッてやられるシーンですよ。

N：はい。

E：普通に撮ればそれで成立すると思うんですよね。ただね、何を思ったか、李さんはね、叩かれてる最中に、カメラをこう回したんですよ（吊るされた状態の柄本さんの顔を正面から覗き込むように構えてる様子を示しながら）。で、「柄本さん、何が見えますか？」って言い出した。何が見えるかって、ねぇ、痛いよってね（笑）。でも俺もなんかね、李さんと同じ感覚っていうかね、李さんの言ってることがね、分からないいんだけど分かったんですよ。そしたら、もう何度も、何度もになっちゃって。……でも、結局、使わずだけどね（笑）。

N：ええ⁉

E：だけど。いいと思う。

N：まぁ、そういう集積が映画にはにじみ出ますもんね、結果的には。

E：そうですね。だって、雪の中で吊るされるのだって、人形を作ってくれてたんですよ。なのに、助監督がやってきてね、「柄本さんお願いします」とかって言うから。「ええ⁉ だって人形は？」とかなってね。結局、全裸で吊るされてね。撮影終わりに、謙ちゃんが、急いで俺のこと抱き上げてくれてね。

N：へえ〜、いい人だなぁ。

E：そうなの。でも、李さんは何かいいですよね。

N：最近は、そんな過酷な現場はなく？

E：そういうの、ないよね。だから、そういう意味じゃ、逆にひどいんじゃないですか。何でもOKみたいなね。それは、どうなんでしょうね。やっぱり経済優先なのかしら。どうですか？

N：そうかもしれないですね。だから、やっぱり臍になる映画がないなっていう気はします。

監督・新藤兼人

N：そうそう、最近用事があって川島雄三さんの作品をまとめて見ているんですけど、「あ、この役は柄本さんがやったら、きっと面白かったなー」っていうふうに思いますね。

E：そんなこと言われると嬉しいですね（笑）。

N：今見ても、あの人の「しとやかな獣」（62）とか、めちゃくちゃ面白いですよ。

E：「しとやかな獣」は僕、舞台でやったんですよ。（伊藤）雄之助さんの役を。1セットなんで、舞台でもできるだろうと思って。近代映協の新藤さんにシナリオ使用の許可をいただいて。

N：新藤さんもね、亡くなる数年前に、湯布院に来てもらって、特集上映やった時に、確か「しとやかな獣」だったと思うんですけど、なんか意外とクールで。「しとやかな獣」について「あれは川島くんが勝手にやった映画だから」って、割とシビアな反応でした（笑）。あの人は書いちゃうとあんまり興味なくなるみたいですね。

E：僕ねぇ、新藤さんの「石内尋常高等小学校・花は散れども」をやった時に——先生役で、あれ、広島で2カ月ぐらいやったんですけども、陣中見舞いで荒井（晴彦）さんとかね、何人か来たんですよ。で、一緒に食事会してね。僕はその時に新藤さんに、「監督の好きな監督って誰ですか？」って質問したんですよ。誰だったと思います？

N：ええ。誰だろう。溝口（健二）さんとか？

E：マキノ（雅弘）さんって言ったの。

N：へえぇ！

E：まぁ、その時の気分によってっていうことはあるでしょうけど。そう言いました。サラッと。

N：へぇ、そりゃあすごいですね。

E：で、僕は先生役だったでしょ。若い時のシーンでは、カツラかぶって（笑）。不自然なカツラ。で、その若い時のシーンでね、生徒たち、子供たち、そんなシーンを撮ってたんですよ。奈良とか行って。で、その後、大人の役者がこうやって集まった初日。同窓会みたいなシーンで。で、大竹しのぶさん、六平《むさか》（直政）さん、豊川（悦司）さん、大杉漣さん、それとうちのカミさん、で、りりィさんもいて、その同窓会のシーンを、あそこで撮ったんですよ。

N：あー、あの海の見える？

E：そうそう。あの、「東京物語」の尾道の竹村家本館。あそこで、同窓会の宴会のシーンをとったんですよ。２階の広場で。で、小津さんの「東京物語」の現場でしょ？　それで監督がね、いらっしゃった時、大人の役者陣とは初顔合わせだったんですけど、ちょっと、感動したなぁ。座ってるところから立ち上がって、「新藤です。よろしくお願いいたします」って頭を下げてくださって。

N：場所が場所ですしね。

E：ね。「ああ～、これ映画だぁ」って。

N：へぇ～。きっとその場にいらしたみなさん、そうだったんでしょうねぇ。にしても、お話を伺っていると、柄本さんがそういう大きい役で出た映画も、そうじゃない感じで出られた映画も、何本かまとめて上映されると日本映画のある側面史が見えてきそうですよね。

映画監督ってなんだろう

N：ところで、役者さんによっては決まった小道具を使うのが大好きな方っていらっしゃるみたいで。例えば、昔の松方弘樹さんと話してる時に、あの方はたばこが大好きで、なんの映画でもたばこ使うみたいなところがあるんですけど、柄本さんにもそういうのってありますか。

E：別にない（笑）。ないですねぇ。たまに、なんか思いついて、ちょっとあれ持ってきてみたいなことはあるけど、でもほとんどないですかね。

N：まぁ、あんまりそれが目立っちゃうとこれはこれでね。

E：まぁ、今はねぇ。たばこが駄目なっちゃったからね。と言っても、使ってますけどね。昔の映画なんて見ると、もっと、たばこだらけですもんね。

N：そうですね。ガンガン使ってますね。

E：みんな、たばこ吸うもん。ね。外国映画でもそうですよね。
N：今はやっぱり減ってますか？
E：いやー、どうなんでしょう。Vシネとかはやっぱり吸うのかなぁ。
N：ちなみにお酒もあまり召し上がらない？
E：そんなに強くないんですよ。だから、飲みの場にはいますけど、量的にはそんなに――。
N：荒井さんたちほどではない（笑）？　まぁ、湯布院映画祭で荒井さんたちは、夜飲んでても昼寝てるから楽でいいなって思いますが。
E：「花腐し」（23）は見たんですか？
N：はい、もちろんもちろん。まぁ、なかなか頑張っておられて。
E：あれですね。でもやっぱり「監督」になってきてますよね、荒井さんも。
N：そうですねぇ。最初の「身も心も」の時はどうだったんですか。あれは舞台が湯布院ですけど。
E：そうですね。あれはもう、湯布院におんぶに抱っこで。中谷（健太郎）さんもいらして。とっても、居心地の良い撮影現場でした。
N：監督としての荒井さんはどうでしたか？
E：やっぱりちゃんと監督でしたよ（笑）。「よーい、スタート」って言ってたし（笑）。ただね、「身も心も」って、その前にやったパキさん（藤田敏八）の「ダブルベッド」と同じ話じゃないですか。で、「ダブルベッド」やった時って、自分の中で何かね、よく理解できなかったんですよ。でも、「身も心も」の時はなんだろうな、セリフとかね、理解できたっていうかね、一応ね。
N：はい。
E：で、「身も心も」と「ダブルベッド」を同時に上映する機会があったんですよ。下北のスズナリに宮本まさ江が作った映画館で。今、711っていう劇場になってるけど。そこでそれを見た時、いやあ、やっぱり、違うもんだなぁって。何だろうな、パキさんは監督している時、優柔不断だしさ、何言ってるかよく分かんないし、ウジウジやってんだけど、いいんだよねぇ。

N：日活のあの世代っていうか、伝統的にパキさんとか根岸（吉太郎）さんとか那須（博之）さんとかは、「何を言ってるんだろう、この人は」っていう一番取材しづらいタイプですけど、それが映画になるとああなっちゃうって、不思議ですよね。

E：ねぇ。荒井さんもやっぱりパキはいいな～とかって言ってたねえ。自分は消化できないまま撮影に参加していたけどねぇ。映画って役者がこう解釈したああ解釈したとかっていうことが大事なんじゃなくって、映画っていうものは何だろうなぁ。まぁ、パキさんの独特の何かかかも知れないけど、何だかその中に、こうやって何か浮かんでるみたいな──やっぱり監督なのかもね。

N：そうなんですかねぇ。僕も東映の時に「スローなブギにしてくれ」（81）についたことがあって、現場に行って、これで果たして映画になんのかなって言ったら失礼ですけど……。でも、出来上がるとこう繋がってるのか！と見事になっていたので驚かされました。こう言っては失礼ですけど、あれだけ寝てるか、起きてるかわかんないような──

E：そうそうそう！本当にそう（笑）。

N：そういう感じを継いでるのは、やっぱり根岸さんなのかなっていう気がします。新作があるみたいですけど。「ヴィヨンの妻～桜桃とタンポポ～」（09）以来ですから、十数年ぶりですよね。

E：俺、それ、見てないんだね。見なくちゃいけないな。あ、僕、根岸監督とも仕事したことないんですよ。知り合いとしては古いんだけど。──昔、あれですよね。曽根中生さんが監督で、チーフセカンドが根岸、サード池田（敏春）、って。すごいよね。なんか、そういうふうに言うとね。で、池田のは出てますよ。「鍵」っていう。池田っていうのもなんかカミソリのような感じだったな……。

N：はぁ〜。そうですか。でもそういう意味では、根岸さん以外あの辺の方とは組まれているんですね。

E：高橋伴明さんはやってます。この前も「夜明けまでバス停で」（22）をね。

N：はい、出られてましたね。あれもねぇ、湯布院映画祭で評判が良かったです。でも、その湯布院を最後に、実行委員長だった（伊藤）雄さんが亡くなっちゃったんでねぇ、いろいろ大変みたいですね。

E：そうなのよねぇ。本当にね。あの人がねぇ、パイプだったからねぇ。

N：でも、柄本さんには度々いらしていただいてて、本当にありがたいです。

最近のお気に入り

N：今後はあれですか、もう撮り終えちゃって待機してる作品っていうのは「室町無頼」と「鬼平」ぐらいですか？

E：映画はそれぐらいじゃないすかね。鬼平はうまくいってくれるといいんだけどなぁ。またテレビで連続で復活すればいいなと思うんですけどね。

N：ちょっと前にお話聞いたら、柄本さん的にうまくいってるのは、深川（栄洋）さんと本木（克英）さんっておっしゃってましたけど。

E：深川監督と本木監督はよく使っていただいてます（笑）。本木さんは最近でいうと「シャイロックの子供たち」（23）で。ちなみに、最近の監督だと、野村さんは誰がいいんですか？

N：お話したことはあまりないんですけど、やっぱり三宅さんですかねぇ。三宅唱さん。

E：だよね。いいよね。

N：今、公開中の「夜明けのすべて」って。なかなか、いいですよね。

E：うん、いいよね（噛み締めるように）。

N：ああ、ご覧になりました？

E：うん。見ましたよ。基本的に映画は情報を何も入れないで見たいんですよ。その状態で見て、すごいなー、誰だろう、この監督は。あれが出てきてこれが出てきてって考えて、ああ、三宅さんかなぁ？って思ったら三宅さんでしたね。いいですよね。なんだかな。やっぱり演出家だなと思って。

N：そうですね。多分何でもないショットでも、ずいぶん気を遣ってやってるんだろうな、重ねてるんだろうなって思いますね。

E：それと何か外がいつもいいですね、あの人。何でしたっけ、佑なんかが出てる――

N：「きみの鳥はうたえる」（18）ですかね。佐藤（泰志）さんが原作の。あの辺から、この人はやっぱりどんどん伸びてるなって気がしますね。

E：そうですね。何かベースが広がってるような感じがする。

N：「夜明け～」もあの会社の人たちがね、全員上手い使われ方をしてますもんね。普通あんなにはできないなって。光石（研）さんとかもね。皆さんすごくいい感じに。

E：誰が突出するわけじゃなくね。

N：「夜明けのすべて」以外に面白かった映画は何かありましたか？

E：あのー、「宇宙人のあいつ」が嫌いじゃなかったですね。日村（勇紀）さんがよかったなぁ。あとね、俺好きなのは、それよりも上の世代だけど、古《ふる》厩《まや》（智之）さん！

N：ああ！　はいはい。

E：古厩さん大好き。

N：古厩さんの映画は出たことはありますか？

E：……俺、出たことある？

N：（爆笑）。古厩さんもたくさん撮られてますけど、何かあったかな。

E：ああ、あったあった。ただね、出たけどね、全部カットされたの。

N：えっ！　そんな相米さんみたいなことをする人が⁉

E：なんだっけなぁ。「まぶだち」（01）！

N：へぇ！　あれに出られたんですか？

E：そうなんですよ。でも、全部カットされているから。「まぶだち」ってほら、あの、主役の子が漫画家で。で、それは映ってないんだけど、東京へ行って、ある漫画の先生の弟子になるんですよ。そういうのがあったんですよ。で、その漫画家先生だったんですよ。

N：はぁ（笑）

E：で、それで、脚本《ホン》読んだ時に、「俺のところいらねぇよ」って言ったんですよ。ここない方がいいよって。でも、「いや、でもちょっと撮らせてください」っていうことがあって、撮って、そしたら後から手紙が来て、「あそこ全部カットしました」って（笑）。

N：それ1回限りですか？

E：あ、あとテレビかな、なんか死刑囚の話。「モリのアサガオ」（13）っていう。テレビで、12チャンネルの連続ドラマで、死刑囚の話。そのとき、古厩さんだったかな。それと、テレビはあれだ、「銀と金」ってやつかな。金融モノのやつ。それでもちょこっと。知り合いになって長いんだけど、そんなもんだな……。

N：古厩さんもね、去年（湯布院映画祭に）お呼びしたんですけど、やっぱりスケジュールが埋まっていて。

E：今ね、京都で先生してるからね。京都芸術大学の。僕も今年、先生で2日行ったんですよ。そしたら、いた（笑）。それで、授業のいろいろ手伝いをしてくれた。

N：古厩さんの新作も見ましたが、面白かったですよ。で、湯布院の実行委員のひとりも、古厩さんのことが大好きで、「のぼる小寺さん」（20）っていうね、これも面白かったんですけど、その時にお呼びしようとしたんですけど、それが叶わなかったっていう。

E：ああ、見た見た。古厩さんいいですよー。ほんと、大好き。あの、なんだ「この窓は君のもの」（95）とか。その前にやった、「灼熱のドッジボール」（92）？　あれも素晴らしいよね。

N：あの世代でぴあから出てきた中で言うと、古厩さんはサバイブしていますよね。もっとご活躍されるといいと思うんですけど。

E：井上（淳一）さんの、新作（「青春ジャック 止められるか、おれたちを2」（24））は見ました？

N：見ました。現場は大変だと聞いていたんで、どうかなって思ったんですけど、悪くないんです。

E：これだからわかんないよね。映画ってね。現場が最悪でもね、こうやって見てみると、いやいや、だから良かったんじゃないかってね。逆にうまくいったうまくいったっていう映画なんか、物足りないなって時もありますよね。なんなんですかね。

嗜好品は「映画」であり「人間」

N：あれですかね。柄本さんの一番の嗜好品は「人間」ってことになるんですかね。人間観察というか、監督さん観察、俳優さん観察という。そういうことになるのかな、とお話を伺っていて思いました。ちなみに、映画を見る楽しみというのはなんだと思いますか？

E：うーん、なんだろうな。「のぞき」かな。そうすることで、潜在的な自分に出会えるみたいなことなんじゃ無いかな。映画館という暗闇の中に入って、のぞきをする犯罪者になれる運びっていうものが何か好きなんじゃないですかね。で、暗闇の中で他人がいて、その他人に対する恐怖のような感情も湧くし、暗闇の中で何か罪人になれるんじゃないすかね。そういう楽しみ。だから、今の映画を見ていると、せっかくこっちが覗いているのに、向こうからバーンって、「はい！見てちょうだい！」って全裸の女が待ってるみたいなね。そんなの見る気しねぇよってね。そういう状態のものがなんか多い感じがしますよねぇ。覗かれている方もやっぱりそれがわかっているっていう、なんだろうね、ちょっとね（前を隠す仕草をしながら）。なんか映画って犯罪的な、そういうものがあると思うんですよね。

N：なるほど――「犯罪」で思い出したんですけど、恩地（日出夫）さんの「生きてみたいもう一度　新宿バス放火事件」(85)、あれ良かったですね。

E：あ、俺、まさに、犯人でしたよね。でも、そんなに出てないよね？

N：いや、結構しっかり出られてましたよ。そして、とても面白かったです。

「映画は分からないやつがいるから、面白い」

E：僕はね、やっぱり阪本順治さんの「せかいのおきく」(24)とか、塚本晋也さんの「ほかげ」(23)とか、なんかあぁいうのに安心するなぁ。

N：阪本さんってなんだかんだ言って、うまいタイミングで時々、ヒュッと出てきますよねぇ。「顔」(00)とか「大鹿村騒動記」(11)とかねぇ。やっぱり、なんか映画だなって感じをさせてくれるなぁと。

E：塚本さんのもよかったよなぁ。

N：塚本さんはマイペースでずっと続けられていて。去年（2023年）の映画で言ったらやっぱりその辺が拮抗していましたねぇ。その間に「月」とか「福田村事件」が入ってくる感じでしたねぇ。塚本さんとは、ご縁が？

E：ない（笑）。この前、道端で会って、「初対面だよね」って言ったら、「ありますよ！」って。何かの集まりとかで会ったんでしょうね。仕事ではないと思います。あの人、役者上手いよね。

N：そうですね。でも、ご本人曰く、監督やると大体自主映画で、そのために役者でもってお金を稼ぐって。自分で何でもやれちゃう人だからな。オールスタッフできます、という。柄本さんはまた映画撮らないんですか？

E：撮りません（即答）。

N：えー（爆笑）。

E：そんなもん、知りません。あれは相米さんに言われて、隙があったんでしょうね。

N：いきなりやれって感じだったんですか？

E：うち（東京乾電池）が岩松了さんと組んで芝居やってた時に、相米さんがよく見に来てくれたんだけど、「岩松さんの脚本《ホン》面白いでしょ」って言ったら、「いや、お前がいいんだよ」とかそんなこと言われたことがあるのよ。で、「嬉しいなー」と思ってね。それであるとき、相米さんがお前とこの芝居と似てる脚本があるから読めって。

N：ははぁ。

E：それで読んだの。最初、ビール飲みながら読んでたんだけど、途中で飲む手が止まってね、すぐに電話してね。それで、「いや、これ面白い」って。「俺ん中じゃもうすごい大傑作だけど、こんなもの映画にしたって見るやつなんかいないよ」って。そしたら、「ああそうか」って。「じゃあ、お前、これを映画にするとしたら監督は誰がいい？　とりあえずちょっと会おう」とか言って。その時、俺が挙げたのは、黒沢清さんとか周防（正行）さん。「変態家族 兄貴の嫁さん」（84）とかね。その頃だったから。とか言ってたら、多分もうその前から俺だったんだよね、相米さんの中では。

N：ああ、なるほど。

E：何かそういうふうに持ってこうとするっていうか。それで「もうお前やれ」って言われて。一応やっぱり「嫌だ！」って言ったら、「嫌だ」じゃないぞっていう。こちらの本心もやっぱり見抜かれていたり。それで（佐々木）史朗さんに会ったりしちゃって、結局やることになっちゃったっていうね。なっちゃったっていうのもあれだけど。

N：はい（笑）。でも、よかったじゃないですか。

E：彼はプロデューサーとかの仕事もいいね。こちら側のプロデューサーっていうか。なんかやっぱり優秀だと思う。キャスティングなんかも結局、相米さんだもんな。

N：ああ、（三浦）友和さんですね。そうですね。

E：それと、キャメラマンなんかもね。ジミー（柳島克己）さんでしょ。北野映画を撮ってた人だからね。ジミーさんはあのセントラルの社長――

N：黒澤（満）さん？

E：そうそう、黒澤さん。電話で相米さんが黒澤さんと喋ってたんだろうね。ジミーさんの取り合い。だけどね、彼、引かないんだよね。「いや、こちらももう新しい監督さんだから、それはもう駄目です」ってね。向こうはなんか「あぶ刑事」か何かでね。相米さんはすごいね。

N：それは大したもんですね、本当にね。でも、終わった後、もう1本ぐらい撮ろうかなという気には

――

E：ならないです（笑）。それで、なんかいわゆる

脚本《ホン》ね。「空がこんなに青いわけがない」の。本当に何も起こらないのよ。だけど面白いんだな。僕なんかはね。それでなんか、きっと史朗さんなんかもおそらくその面白さを感じていて、机の中に入っていたんですよ。で、相米さんにちょっと読んでみろって言ったら、その相米さんが、史朗さんに、乾電池の芝居みたいって。そんなところから、何かうん。そんな中、スタッフ会議があったんですよ。

N：東京乾電池内で？

E：うん。で、そこで初めてみんなに脚本を読んでもらって。そうすると、みんなの反応がこうで(シーンとして首を捻っている感じ)で、そんなんでもう落ち込んじゃって、電話したの、相米さんに。

N：はい(笑)。

E：「相米さんさ、やっぱりさ、みんな分からないしさあ、やっぱりこういうのを映画にしても、あれだよ」とかって何かちょっと愚痴った感じで、そしたら彼がそのときに言ったのは、「映画なんて分かるやつばっかりで作っててどこが面白いんだよ」って。「分からないやつがいるから面白いんだろう」ってさ。

N：相米さんらしいっすね。

E：そういうことを言うのよね。そういうことを言うから、こっちがなんか「ごめんなさい」って。なんだろうね。

N：いい口説き方じゃないですか。すごく。でも、その何もなさというのは、「夜明けのすべて」とかに共通する何かじゃないですか。

E：そうだよね。だから、まぁテレビに代表されることだけど、要するに、何かみんな安心を求めてるよね。だけど「夜明けのすべて」もそうなんだけど、非常に不安。我々は不安なんだもんね。生きてるってことはね。不安ってひと言でいっても、どういう不安なのかっていうのはあるかもしれないけど。

N：でも、そういう映画は時々やっぱりある方が健全ですよね。

E：そうですね。とはいえ、「不安」という言葉が果たして合っているかというのもありますけど。

N：でも、やっぱりちょっと続くとどうにかなるかもしんないけども、日常だっていうのがいいですよね、なにか。

E：だからそれを考えていくと、やっぱり小津映画ってすごいなってなりますよね。

N：ですね（笑）。ご本尊みたいな。

E：あの安定感ね。でも、そこから成瀬（巳喜男）作品なんかを見ると、こっちの方がいいなみたいになったりしてね。

N：そういう映画は脈々とあってほしいですよね。

E：そうそう、あと相米さんの面白い話っていうかさ。はい、こうやって撮影してるじゃない。撮影してカメラの横でこんなふうにしてたらさ、もうこの辺（頭上斜め上あたり）から声が聞こえるのよ。「早く撮れよ、早く撮れよ」って言うんだよ。それで、誰だと思って見るとさ、相米さんが「早く撮れよ」ってさ。ふざけんなよってね。

N：自分がよく言われてたから、ですかねぇ（笑）。

E：そういうことを言うのかって感じですね。

N：本当にあれじゃないすか。華麗なる映画人の列伝が、脈々と合って。映画ってそういう意味では、まさに撮り方が人によって全然違うからで面白いですよねぇ。永遠にお話を伺っていられそうですが、今回はこの辺で――。また、どこかで、映画談義できると嬉しいです。

おわり

野村正昭（のむら　まさあき）

映画評論家。1954年山口県出身。

東映洋画宣伝室で角川映画や、ジャッキー・チェン主演の香港映画などの宣伝に携わったのち、広告代理店勤務を経て、映画評論家に。芸術選奨、キネマ旬報ベストテン、毎日映画コンクールなどの選考委員を務め、ヨコハマ映画祭、湯布院映画祭に関わる。「曽根中生自伝」「まわり舞台の上で　荒木一郎」（ともに文遊社）、「映画監督 佐藤純彌　映画（シネマ）よ憤怒の河を渉れ」「映画監督はサービス業です。 矢口史靖のヘンテコ映画術」（ともにDU BOOKS）のインタビュアーを務め、著書には「デビュー作の風景」（DU BOOKS）など。年間鑑賞映画本数1000本を超え、日本で一番映画を見ている映画評論家。

宮崎祐治（みやざき　ゆうじ）

映画イラストレーター。1955年東京都調布市出身。

武蔵野美術大学デザイン科卒。在学中から、映画のイラストレーションを『キネマ旬報』や旧・文芸坐などで描く。ディレクターとしてCMの企画・演出、『世界の車窓から』などのテレビ番組の演出も手がける。2016年日本映画ペンクラブ奨励賞受賞。2019年国立映画アーカイブで展覧会「映画イラストレーター宮崎祐治の仕事」が催された。著書に『東京映画地図』（キネマ旬報社・2016年）『鎌倉映画地図』（鎌倉市川喜多映画記念館・2017年）など。

デザイン・DTP　高橋力、布谷チエ（m.b.llc.）

編　　　　集　中井真貴子（東京ニュース通信社）

協　　　　力　公益財団法人　たばこ総合研究センター
佐藤真（アルシーヴ社）

食《た》べて、ふかして、飲《の》みほして
味《あじ》わいぶかき映《えい》画《が》たち

2024年3月29日　第1刷

著　　者　野村正昭
絵　宮崎祐治
発 行 者　菊地克英
発　　行　株式会社東京ニュース通信社
〒104-6224 東京都中央区晴海1-8-12
TEL 03.6367.8023
発　　売　株式会社講談社
〒112-8001 東京都文京区音羽2-12-21
TEL 03.5395.3606
印刷・製本　株式会社シナノ

ISBN978-4-06-535365-3